Vivi Koffi
Paul Laurin
André Moreau

Quand l'école se prend en main

PRESSES DE L'UNIVERSITÉ DU QUÉBEC
2875, boul. Laurier, Sainte-Foy (Québec) G1V 2M3
Téléphone : (418) 657-4399 • Télécopieur : (418) 657-2096
Courriel : secretariat@puq.uquebec.ca • Catalogue sur Internet : www.puq.uquebec.ca

Distribution :

CANADA et autres pays

DISTRIBUTION DE LIVRES UNIVERS S.E.N.C.
845, rue Marie-Victorin, Saint-Nicolas (Québec) G7A 3S8
Téléphone : (418) 831-7474 / 1-800-859-7474 • Télécopieur : (418) 831-4021

FRANCE

LIBRAIRIE DU QUÉBEC À PARIS
30, rue Gay-Lussac, 75005 Paris, France
Téléphone : 33 1 43 54 49 02
Télécopieur : 33 1 43 54 39 15

SUISSE

GM DIFFUSION SA
Rue d'Etraz 2, CH-1027 Lonay, Suisse
Téléphone : 021 803 26 26
Télécopieur : 021 803 26 29

Vivi Koffi
Paul Laurin
André Moreau

Quand l'école se prend en main

2000

 Presses de l'Université du Québec
2875, boul. Laurier, Sainte-Foy (Québec) G1V 2M3

Données de catalogage avant publication (Canada)

Koffi, Vivi

    Quand l'école se prend en main

    Comprend des réf. bibliogr.

    ISBN 2-7605-0966-4

    1. Administration scolaire. 2. Administration scolaire – Travail en équipe.
3. Enseignants – Participation à l'administration. 4. Administrateurs scolaires.
5. Enseignement – Réforme. I. Laurin, Paul, 1940-   . II. Moreau, André, 1938-   .
III. Titre.

    KB2805.K63 1997   371.2   C97-941289-7

Nous reconnaissons l'aide financière du gouvernement du Canada
par l'entremise du Programme d'aide au développement
de l'industrie de l'édition (PADIÉ) pour nos activités d'édition.

    Nous remercions le Conseil des arts du Canada
    de l'aide accordée à notre programme de publication.

Révision linguistique : GISLAINE BARRETTE

Mise en pages : PUQ

Conception graphique de la couverture : RICHARD HODGSON

1 2 3 4 5 6 7 8 9 PUQ 2000 9 8 7 6 5 4 3 **2** 1

Dépôt légal – 2ᵉ trimestre 1998
Bibliothèque nationale du Québec / Bibliothèque nationale du Canada
Imprimé au Canada

TABLE DES MATIÈRES

CHAPITRE 3
Gestion centrée sur l'école

CHAPITRE 4
La collégialité

CHAPITRE 5
L'empowerment : le partage du pouvoir

CHAPITRE 6
Prise de décision en équipe

CHAPITRE 7
Professionnalisme des enseignants

CHAPITRE 8
Le partenariat

CHAPITRE 9
Nouveaux rôles des directeurs d'école : autoleadership et superleadership

CHAPITRE 10
L'imputabilité en milieu scolaire

CHAPITRE 11
La gestion centrée sur l'école et le changement

INTRODUCTION

L'entrée de l'école dans le XXIe siècle paraît difficile à plusieurs. Après la période faste du milieu des années 1960 dans le domaine de l'éducation, il faut maintenant modifier les pratiques de gestion au nom de la rationalisation, de la restructuration, des retraites anticipées, des éliminations de postes, de la réingénierie, de la réaffectation du personnel, du travail à temps partiel. On doit atteindre un maximum de productivité avec un minimum de ressources.

Les organisations scolaires doivent par conséquent mettre en branle une réorganisation, d'une part, pour éliminer les dépenses dites superflues et, d'autre part, pour atteindre la réussite éducative. Quel défi ! Pour s'adapter à cette pression importante et constante qui caractérise son environnement, l'organisation scolaire doit elle-même agir, changer, se remettre en question, pas seulement en surface, mais en profondeur.

L'organisation scolaire, tout comme les autres organisations affectées par la décroissance, devra concevoir une nouvelle organisation. Comment implanter la gestion centrée sur l'école dans un cadre où la diminution des ressources humaines et financières, doublée d'un climat économique difficile est omniprésente ? Comment planifier, organiser, diriger une école qui doit être performante et à la hauteur des exigences du XXIe siècle ?

Une école qui se prend en main n'est pas un phénomène ponctuel et localisé. Elle prend racine dans des valeurs profondes, qui se sont modifiées peu à peu pendant une trentaine d'années et qui transforment la façon de gérer les établissements scolaires (chapitre 1).

Une école qui se prend en main est un lieu où les acteurs pensent, apprennent et réfléchissent ensemble à l'amélioration de l'apprentissage de chacun des élèves de l'établissement (chapitre 2).

La gestion centrée sur l'école a comme point d'appui l'équipe-école (chapitre 3), qui vise à lutter contre l'isolement professionnel. L'isolement professionnel de l'enseignant est le problème de la culture de l'enseignement qui est le plus souvent cité par le Rapport de la commission royale sur l'éducation en Ontario (1994). Ce problème limite l'accès aux idées nouvelles et aux meilleures solutions, rend la reconnaissance de la réussite difficile et permet à l'incompétence de s'installer et de persister, au détriment des élèves et des enseignants eux-mêmes.

Pour mettre un terme à l'isolement professionnel des enseignants, le personnel scolaire devra travailler en collégialité (chapitre 4). Celle-ci doit reposer sur une vision et une mission partagées entre tous les acteurs. Cette collégialité doit permettre à chacun de se considérer comme un partenaire à plein titre, qui a le droit voire l'obligation de participer à toutes les étapes de la prise de décision. L'information doit évidemment être complète et circuler librement entre chaque partenaire.

Une école qui se prend en main vise la réussite éducative des élèves et le partage du pouvoir (chapitre 5) et des responsabilités entre ses membres afin de leur permettre de devenir des acteurs déterminants de l'amélioration et de l'efficacité de leur établissement. Les enseignants doivent avoir le pouvoir de prendre des décisions afin d'analyser la situation, d'explorer, d'expérimenter et d'apporter des changements dans leur école (chapitre 6).

Le professionnalisme se définit comme l'acquisition du pouvoir dans l'école par les enseignants qui veulent participer à la prise de décision.

« La professionnalisation suppose une capacité collective d'auto-organisation [...] et exige une capacité de reconstruire et de négocier une division du travail souple avec d'autres professionnels » (Perrenoud, 1993). Les enseignants sont-ils des professionnels ? Le chapitre 7 apportera des réponses à cette question.

Les nouvelles orientations qui devront être prises dans le cadre d'une gestion centrée sur l'école modifient en profondeur la vie profes-sionnelle des enseignants : le partage du pouvoir, le professionnalisme, la collégialité, le partenariat (chapitre 8). Cette importante transformation influencera le rôle des dirigeants scolaires : celui des directions d'école et des cadres scolaires (chapitre 9). La direction d'école ne peut plus se limiter à la gestion quotidienne, elle doit développer chez les enseignants les habiletés nécessaires pour participer réellement à la gestion de l'établissement.

Se prendre en main, c'est aussi rendre compte de ses actions pour atteindre la réussite éducative. Cette reddition de comptes s'opère à tous les paliers de l'organisation scolaire : de l'enseignant au directeur général. À qui les acteurs de la gestion centrée sur l'école sont-ils imputables ? De quoi sont-ils redevables ? Le chapitre 10 apporte des précisions sur le concept d'imputabilité et propose un modèle intégré d'« imputabilité ».

La gestion centrée sur l'école ne peut être réalisée en modifiant une pièce à la fois, mais la transformation visée est tellement importante qu'il faut au bout du compte modifier l'ensemble du système. C'est une métamorphose à laquelle il faut penser. Cette métamorphose est une nouvelle conception des éléments fondamentaux de l'organisation qui touchent aux valeurs de celle-ci, à la conception du travail, aux ressources humaines, à la structure et au système d'information (chapitre 11).

Le présent ouvrage tente de donner une meilleure compréhension des enjeux d'une école qui se prend en main. Son contenu devrait aider le lecteur à voir quelles sont les principales pistes à suivre pour la réaliser. Chacun des chapitres offre des instruments destinés à faciliter la mise en œuvre des principales composantes de la gestion centrée sur l'école.

BIBLIOGRAPHIE

PERRENOUD, P. (1993). « Formation initiale des maîtres et professionnalisation du métier », *Revue des sciences de l'éducation*, 19 (1), 59-76.

RAPPORT DE LA COMMISSION ROYALE SUR L'ÉDUCATION (1994). *Pour l'amour d'apprendre*, Ministère de l'Éducation, Ontario.

CHAPITRE 1

NOUVEAUX CONTEXTES

*Dans les révolutions comme dans les tempêtes
maritimes, les valeurs solides vont à fond, le flot
met les choses légères à fleur d'eau.*

Honoré DE BALZAC

NOUVELLES VALEURS

On peut affirmer sans crainte de se tromper que le Québec est une société de consommation avide de nouveaux gadgets, de mode, d'électro-ménagers ou d'audiovidéo. On se sent tenu maintenant de scruter à la loupe les catalogues des grands magasins pour savoir ce qui manque à son bonheur. Les parents qui sont à l'aise donnent souvent le paradis sur terre à leurs enfants : vêtements, voyages, automobile...

La société connaît actuellement une période de transition des valeurs provoquée par des changements structurels dans le travail et la famille. Les valeurs de devoir et de sacrifice, prônées durant la première moitié du siècle, ont été ébranlées par la prospérité des années 1960. Nous sommes maintenant à l'heure de la revendication.

Le droit des individus à contester une décision prise par une autorité fait maintenant partie de la réalité. Le mur de Berlin, la place Tian'anmen, le mouvement pro-vie ou pro-choix, ou encore la fermeture d'écoles de village nous font voir que la remise en question de l'autorité traditionnelle se fait partout.

Ce droit de remettre en question l'autorité s'appuie sur le réseau planétaire d'information. Tout le monde obtient en même temps une information sur ce qui se passe à des milliers de kilomètres de chez lui. Nous avons la possibilité de nous brancher sur CNN jour et nuit, et sur internet qui relie la planète. C'est le village global.

Sur le plan familial, l'autorité ne relève plus exclusivement du père. Le modèle traditionnel du père qui travaille et de la mère qui reste à la maison est de moins en moins présent dans la société québécoise. Le nouveau modèle de fonctionnement de la famille implique que l'autorité soit partagée.

Ces transformations récentes sur les plans social et familial influencent les valeurs des personnes qui travaillent dans les organisations scolaires. Aussi pour mobiliser les nouveaux enseignants qui travaillent dans le système scolaire, il faut une organisation d'un type nouveau, qui s'appuie non pas sur les valeurs d'hier, mais sur celles d'aujourd'hui.

Les valeurs d'aujourd'hui privilégient la participation de préférence à l'écoute passive, la résolution de conflits même au détriment de la sérénité du climat, la réflexion collective plutôt que des prises de décisions fermes, l'apprentissage à partir des erreurs et non le travail sans erreur. Le tableau suivant, adapté de Patterson (1993), présente un parallèle entre les valeurs d'hier et celles d'aujourd'hui.

Tableau 1.1
LES VALEURS

Les valeurs d'hier	Les valeurs d'aujourd'hui
Le personnel de l'organisation valorise l'écoute des leaders de la commission scolaire et réalise ce que ces derniers désirent.	Le personnel de l'organisation valorise la participation active à toutes les discussions ou décisions qui le concernent.
Le personnel de l'organisation valorise un climat de groupe harmonieux et heureux.	Le personnel de l'organisation valorise la résolution de conflits d'une façon saine, qui débouche, dans des situations complexes, sur de meilleures solutions.
Le personnel de l'organisation valorise la prise de décision. Des décisions fermes sont prises et appliquées sans y revenir.	Le personnel de l'organisation valorise la réflexion collective pour prendre de meilleures décisions organisationnelles.
Le personnel de l'organisation valorise le travail sans erreur et le plus efficient possible.	Le personnel de l'organisation valorise la reconnaissance des erreurs et de l'apprentissage qui en découle.

Source : Adapté de Patterson, J.L. (1993). *Leadership for Tomorrow's Schools*. Alexandria, Association for Supervision and Curriculum Development.

Dans les organisations d'hier, certains comportements des enseignants étaient considérés comme très positifs s'ils étaient passifs, s'ils ne remettaient pas en cause les décisions prises par les autorités, s'ils ne «faisaient pas de vagues» (voir tableau 1.2). Ces valeurs d'hier sont aujourd'hui considérées comme des faiblesses d'une organisation. En effet, des enseignants actifs, qui réfléchissent collectivement pour améliorer l'apprentissage, qui remettent en question des décisions, qui reconnaissent leurs erreurs pour mieux faire, sont considérés comme des enseignants engagés et comme des professionnels de l'enseignement.

Les valeurs d'hier ont grandement influencé la façon d'organiser le système scolaire: distance importante entre le sommet et la base, autoritarisme fondé sur le pouvoir formel, parcellisation des tâches... Par ailleurs, l'organisation scolaire a subi au cours des dernières années de nombreuses critiques. Le modèle bureaucratique est sérieusement remis en question. Il est à l'origine du fonctionnement rigide des écoles: isolement des individus et difficultés de concertation. Les acteurs se sentent souvent sans pouvoir, dans un monde qui ressemble plus à une industrie qu'à un milieu d'éducation.

Il est vrai que la concentration des pouvoirs et des décisions au sommet de la pyramide était autrefois efficace, lorsque l'environnement

Tableau 1.2

LES FORCES ET LES FAIBLESSES DANS LES ORGANISATIONS D'HIER

Les forces	Les faiblesses
Le personnel écoute les leaders de l'organisation et réalise ce qu'ils désirent.	Le personnel participe activement à toute décision qui le concerne.
Le point de vue du personnel s'ajuste aux directives générales de l'organisation.	Le personnel exprime ouvertement une variété d'opinions, même si elles diffèrent de celles des dirigeants de l'organisation.
Le personnel vit toujours dans un climat de groupe harmonieux et heureux.	Le personnel discute à propos des problèmes importants, et solutionne les conflits d'une façon saine.
Le personnel comprend qu'une fois les décisions prises, elles ne peuvent plus être remises en question.	Le personnel questionne souvent les dirigeants de l'organisation et remet en question leurs décisions.
Le personnel se concentre sur le fait de ne pas faire d'erreur et travaille d'une façon aussi efficace que possible.	Le personnel reconnaît ses erreurs et apprend à partir d'elles.

Source: Adapté de Patterson, J.L. (1993). *Leadership for Tomorrow's Schools.* Alexandria, Association for Supervision and Curriculum Development.

des organisations scolaires était relativement homogène, stable et prévisible, mais maintenant les organisations scolaires sont au cœur d'un environnement qui est en mouvement constamment. L'organisation pyramidale, hiérarchisée, fondée sur la planification, l'organisation, la direction et le contrôle ne tient plus.

Selon les valeurs d'aujourd'hui, les enseignants ne doivent plus être considérés comme des êtres passifs, obéissants, mais plutôt comme des professionnels qui prennent des initiatives, qui décident et qui s'engagent. Comme le dit Sérieyx (1993, p. 15) : « Les organisations d'hier sont notre prison mentale : elles nous empêchent de voir que nous pouvons administrer autrement[...] alors que le monde de demain l'exige. »

NOUVELLES RÉPONSES

La nouvelle génération d'enseignants cherche d'abord et avant tout, dans son travail, un épanouissement personnel. Elle aime résoudre des problèmes, organiser le travail en équipe, comme elle l'a fait tout au long de ses études. Maccoby (1990, p. 171) résume bien les caractéristiques de cette population. Elle désire :

– former une équipe où chacun apporte ses connaissances et qui arrive à de bonnes décisions consensuelles ;

– faire circuler l'information, afin que tous puissent atteindre leurs objectifs et faire leurs choix en connaissance de cause ;

– proposer ses conseils ou ses critiques constructives, afin que chacun fasse un meilleur travail ;

– procéder en commun à l'analyse et à la solution des problèmes, sinon imaginer de nouvelles méthodes.

On oppose souvent les enseignants d'hier et ceux d'aujourd'hui, qui sont en effet très différents. Contrairement à ce qui était le cas pour les religieuses et religieux autrefois, le travail ne représente pas tout pour la jeune génération, qui veut une vie équilibrée. Pour la jeune génération, le travail ne doit pas empiéter sur sa vie de famille. Cet équilibre est précieux pour maintenir un bon rythme de travail et aussi pour se sentir bien dans sa peau.

De ces caractéristiques de la nouvelle génération découlent plusieurs attentes à l'égard de l'organisation : la liberté d'exprimer son point de vue, la participation aux décisions, le droit à l'information, le dévelop-

Tableau 1.3
LES FORCES ET LES FAIBLESSES DES ORGANISATIONS DE DEMAIN

Les forces	Les faiblesses
Le personnel participe activement à toutes les décisions qui le concernent.	Le personnel écoute les leaders de l'organisation et réalise ce qu'ils désirent.
Le personnel exprime ouvertement une variété d'opinions, même si elles diffèrent de celles des dirigeants de l'organisation.	Le personnel est d'accord avec les directives générales prises par l'organisation.
Le personnel résout les conflits ouverts avec les collègues dans un environnement sécurisant.	Le personnel vit toujours dans un climat de groupe harmonieux et heureux.
Le personnel réfléchit collectivement et remet en question les décisions prématurées.	Le personnel comprend qu'une fois les décisions prises, elles ne peuvent plus être remises en question.
Le personnel admet ses erreurs et les considère comme un moyen de plus pour apprendre.	Le personnel se concentre sur le fait de ne pas faire d'erreur et travaille d'une façon aussi efficiente que possible.

Source : Adapté de Patterson, J.L. (1993). *Leadership for Tomorrow's Schools*. Alexandria, Association for Supervision and Curriculum Development.

pement de son potentiel, une formation appropriée, l'esprit d'équipe, des rapports de coopération.

Il faut par conséquent revoir le modèle organisationnel fondé sur la relation dominant-dominé, sur la centralisation, sur le cloisonnement des fonctions, sur la pyramide organisationnelle. Pour ce faire, il est nécessaire de réorganiser l'ensemble des relations entre les enseignants, et entre ces derniers et les administrateurs. Comment devrait être cette nouvelle organisation ? La réorganisation scolaire dans un milieu est l'opérationnalisation de l'idée que les dirigeants se font de l'organisation scolaire renouvelée.

NOUVELLE ORGANISATION SCOLAIRE

Pour changer l'organisation scolaire, au moins deux approches sont possibles. Il y a, d'une part, l'approche ponctuelle, qui met en lumière les difficultés liées à une situation et y apporte une réponse. La démarche est simple : à tout problème, il y a une solution. Cette façon de faire ne corrige pas les causes du problème, mais apporte une solution temporaire. C'est une démarche par laquelle on procède à la pièce. Ainsi s'il y a un problème de sous-alimentation des enfants, ils seront nourris à l'école ; si une école est jugée trop petite, elle sera fermée... Cette approche est celle qui a été privilégiée par le passé, alors que de nombreux problèmes ont été résolus de façon superficielle, sans nécessairement qu'on s'attaque aux causes profondes.

Il y a, d'autre part, l'approche globale ou systémique, qui remet en cause l'ensemble du système. Par exemple, il est de plus en plus évident qu'une intervention isolée ne peux pas régler les problèmes qui sont à l'origine du décrochage, des échecs scolaires, etc.

Cette approche globale correspond à un nouveau modèle de gestion, où l'on ne considère plus les faits ou les acteurs d'une façon isolée, mais globalement, en analysant d'une façon permanente tous les facteurs en cause. Ces facteurs prennent en compte la réalité diagnostiquée, les structures, les personnes de même que leurs relations entre elles.

Cette analyse continue vers l'atteinte des buts de l'organisation scolaire ne peut se faire que par tous les membres. En effet, dans un contexte où l'évolution est très rapide et étant donné les quantités importantes d'informations qui circulent, l'organisation scolaire doit être «intelligente», c'est-à-dire que, tout comme un être humain intelligent, elle doit apprendre continuellement de ses expériences pour être en mesure de s'adapter à la réalité changeante.

L'intelligence de l'organisation est le résultat de la contribution de chacun des membres, dans une pensée commune. Elle est fondée sur un dialogue de tous les acteurs et est axée sur l'amélioration de l'apprentissage de tous les élèves. Face à un problème, elle apprend du milieu et travaille à s'adapter à ses structures pour pouvoir répondre de façon adéquate à de nouvelles situations par un fonctionnement normal.

L'apprentissage que fait l'organisation doit permettre de dépasser le stade de l'adaptation ou de la réaction à un problème, pour en arriver à maîtriser son évolution face aux problèmes à résoudre et non plus laisser les problèmes déterminer l'évolution.

INSTRUMENT *Ce premier chapitre a mis en évidence le nouveau contexte qui oblige l'organisation scolaire à se transformer. Le questionnaire qui suit permet d'effectuer un diagnostic de la situation de son organisation.*

L'instrument est basé sur les principaux énoncés du Rapport annuel du Conseil supérieur de l'éducation, La gestion de l'éducation : nécessité d'un autre modèle. *Dans un premier temps, vous avez à préciser, pour votre milieu, jusqu'à quel point vous êtes d'accord avec les énoncés sur la remise en question du modèle actuel de gestion de l'éducation et, dans un second temps, vous indiquez votre niveau d'accord avec la proposition d'un autre modèle de gestion.*

MODÈLE ACTUEL DE GESTION DE L'ÉDUCATION

[?] *Jusqu'à quel point êtes-vous d'accord avec les énoncés du Conseil supérieur de l'éducation sur la remise en cause du modèle actuel de gestion de l'éducation ?*

Processus de gestion

	Entièrement d'accord				Pas du tout d'accord
– Les pratiques actuelles de gestion semblent marquées par une trop grande concentration sur l'administration des affaires courantes et ponctuelles.	5	4	3	2	1
– La plupart des gestionnaires semblent devoir passer le plus clair de leur temps à gérer le quotidien et à « éteindre des feux ».	5	4	3	2	1
– La gestion fonctionne à court terme et à courte vue, un leadership de vision plus prospectif semble faire défaut.	5	4	3	2	1
– La conception actuelle du leadership est axée sur l'existence de rapports hiérarchisés et autoritaires.	5	4	3	2	1
– Les directions d'école sont éloignées de la pédagogie, préoccupées avant tout d'efficacité administrative.	5	4	3	2	1
– Les pratiques de gestion témoignent du peu d'empressement à effectuer l'examen critique des actions et à évaluer les résultats atteints.	5	4	3	2	1
– L'évaluation dans les pratiques de gestion se traduit par une augmentation des contrôles et non par une mise en lumière des problèmes.	5	4	3	2	1

	Entièrement d'accord				Pas du tout d'accord
– La supervision pédagogique est vue comme une forme de contrôle déguisé.	5	4	3	2	1
– Les pratiques de gestion actuelles ne se situent pas dans une vision prospective.	5	4	3	2	1
– Solliciter la participation des acteurs est souvent considéré comme une opération onéreuse et risquée.	5	4	3	2	1

Cadre d'exercice de la gestion

– Les lois, les pratiques et les règles édictées qui régissent l'organisation de la pédagogie et la gestion sont lourdes et complexes.	5	4	3	2	1
– Au fil des décennies, la prolifération des procédures, des programmes et des règles laisse peu de marge de manœuvre aux administrations locales.	5	4	3	2	1
– La conciliation des orientations éducatives avec les impératifs d'ordre budgétaire, syndical ou administratif est difficile à réaliser.	5	4	3	2	1
– Les normes sont souvent uniformisantes et inhumaines, en ce sens qu'elles tiennent peu compte des besoins particuliers des individus et des régions.	5	4	3	2	1
– La centralisation n'est pas seulement le lot des administrations nationales, elle caractérise aussi les pratiques de gestion locale.	5	4	3	2	1
– La tendance à centraliser semble inscrite dans les mentalités, les attitudes et les comportements des gestionnaires.	5	4	3	2	1

Harmonisation entre les diverses composantes de la structure

– Les différents paliers de pouvoir ont de la difficulté à composer entre eux.	5	4	3	2	1
– Les acteurs de la base déplorent la concentration du pouvoir dans les niveaux supérieurs de l'administration et l'absence de prise réelle sur les décisions.	5	4	3	2	1
– Dans les commissions scolaires, le pouvoir administratif a été aspiré par les sièges sociaux au détriment des directions d'établissement et des équipes-écoles.	5	4	3	2	1
– Les gestionnaires déplorent le peu de compréhension manifestée par la base à l'égard des exigences liées au maintien de l'unité du système.	5	4	3	2	1

	Entièrement d'accord				Pas du tout d'accord
– Les équipes de cadres passent trop de temps à alimenter les nombreuses réunions des conseils de commissaires.	5	4	3	2	1
– Les pédagogues se plaignent du désintérêt des gestionnaires à l'égard de la pédagogie.	5	4	3	2	1
– Les acteurs à la base se plaignent d'être peu écoutés et soulignent le peu de considération qu'on leur accorde.	5	4	3	2	1
– On constate une concentration du pouvoir « vers le haut », la confusion des rôles et l'empiétement du territoire des uns par les autres.	5	4	3	2	1

Efficience de la gestion

– Les difficultés liées au financement placent les établissements en position de devoir trouver d'autres sources, comme les taxes additionnelles ou les campagnes de financement.	5	4	3	2	1
– Le faible niveau de financement a entraîné des réductions progressives des dépenses, qui ont dû être appliquées de façon énergique par les gestionnaires, ce qui a contribué à ternir leur image.	5	4	3	2	1

Remise en question des modes actuels de gestion

– Le modèle actuel de gestion est contesté, étant donné son incapacité d'assurer le renouvellement des perspectives en fonction des enjeux éducatifs et sociaux à l'aube du troisième millénaire.	5	4	3	2	1
– Les modèles de gestion dans les milieux constituent des obstacles à une prise en charge autonome au sein des établissements.	5	4	3	2	1
– À tous les paliers de la structure, on reproche à l'appareil administratif d'être devenu centralisateur, contrôleur et démobilisateur.	5	4	3	2	1
– L'uniformité, au détriment de la diversité, ne permet plus de trouver des accommodements aux problèmes des milieux éducatifs.	5	4	3	2	1
– La lenteur de réaction excessive du système exige des parcours trop longs et trop laborieux pour être efficaces.	5	4	3	2	1
– Le système est éloigné des réalités pédagogiques et des enseignants, qui, pourtant, sont reconnus comme les principaux acteurs.	5	4	3	2	1

VERS UN AUTRE MODÈLE DE GESTION

[?] *Jusqu'à quel point êtes-vous d'accord avec les énoncés du Conseil supérieur de l'éducation sur la proposition d'un nouveau modèle de gestion ?*

	Entièrement d'accord				Pas du tout d'accord

Un cadre de référence axé sur l'activité éducative

– L'activité éducative est la première raison d'être de l'acte professionnel de gestion en éducation.	5	4	3	2	1

Une dynamique proprement éducative

– Le nouveau modèle de référence en gestion devra prendre appui sur une dynamique proprement éducative plutôt que sur une dynamique à dominante administrative.	5	4	3	2	1
– Le système de l'éducation doit créer les conditions d'une formation adéquate pour l'élève par la mise en œuvre de services adaptés.	5	4	3	2	1
– La gestion ne peut trouver sa légitimité que si elle inscrit ses actions dans une perspective de services à l'apprentissage et à l'enseignement.	5	4	3	2	1
– Les responsables de la gestion doivent miser sur un partenariat et une association intime avec les acteurs de la base qui interviennent directement auprès d'eux.	5	4	3	2	1
– C'est en respectant l'autonomie des enseignants, en stimulant leurs initiatives, en misant sur leurs responsabilités et en faisant appel à leur compétence pédagogique que la gestion pourra constituer une réponse appropriée aux besoins éducatifs des élèves.	5	4	3	2	1

Un fonctionnement souple et simulant

– Il est souhaitable que la structure soit souple, qu'il y ait réduction des niveaux hiérarchiques et un délestage des encadrements.	5	4	3	2	1
– Il importe de situer la responsabilité le plus près possible du lieu même où se passe l'action, soit dans l'établissement.	5	4	3	2	1
– Le devoir de rendre des comptes est facilité là où l'autonomie et la responsabilité du personnel sont assumées et reconnues.	5	4	3	2	1

	Entièrement d'accord				Pas du tout d'accord

Des virages radicaux

- On souhaite que la gestion prenne des virages importants sur les plans de la vision, de la manière de diriger, de l'encadrement budgétaire qu'elle assure et de l'évaluation qu'elle pratique.

5   4   3   2   1

Faire preuve de vision

- Les responsables du système scolaire doivent voir large et loin, ils doivent faire preuve de vision.

5   4   3   2   1

- L'entreprise éducative doit s'inscrire dans le cadre de la réalité sociale, en passant d'une perspective axée sur l'école à une optique plus vaste qui tient compte des visées sociales.

5   4   3   2   1

- L'action quotidienne doit se situer dans une planification à plus long terme si l'on veut faire preuve de vision.

5   4   3   2   1

- La planification stratégique vise la définition des grandes orientations et la précision des moyens pour les réaliser en s'appuyant sur l'analyse de l'environnement interne et externe.

5   4   3   2   1

Mobilisation du personnel

- Le modèle rompt avec les manières de faire qui privilégient la structure pour favoriser les pratiques qui suscitent l'adhésion des personnes aux buts poursuivis.

5   4   3   2   1

- Le partage d'une même culture institutionnelle doit devenir le lien qui cimente les actions éducatives au sein de chaque établissement.

5   4   3   2   1

- La gestion mise sur l'engagement actif des personnels et s'actualise dans des projets d'établissement.

5   4   3   2   1

Révision des rôles des gestionnaires

- On s'attend à ce que les gestionnaires s'engagent plus activement dans l'animation de leur milieu et prennent davantage en considération les contributions des personnes.

5   4   3   2   1

- Gérer, c'est mobiliser des personnels en proposant une direction. Pour cela, il n'y a pas de directives, il y a un climat qui fait que les personnes se sentent « tirées vers le haut ».

5   4   3   2   1

- Les personnels doivent être invités à participer aux décisions qui concernent leur milieu et ils doivent être soutenus dans la réalisation des projets.

5   4   3   2   1

	Entièrement d'accord				Pas du tout d'accord

– Les rôles de mobilisation, d'animation, de facilitation et de soutien auprès des personnels nécessitent des habiletés qui dépassent celles exigées par l'administration courante.   5   4   3   2   1

– La réalisation des objectifs d'éducation devra passer par une considération accrue du potentiel humain plutôt que par une organisation plus scientifique des actions.   5   4   3   2   1

Simplification des structures et des encadrements

– Tout en rapprochant les décisions du lieu même où se passe l'action, il faut maintenir des encadrements minimaux uniformes sur le plan de l'organisation de l'enseignement aux divers paliers de la structure.   5   4   3   2   1

– C'est la simplification des structures et des encadrements qui est souhaitée, de même qu'une participation plus active des acteurs sur le terrain.   5   4   3   2   1

– C'est la diminution du nombre d'échelons de la structure qui est ici souhaitée afin de « raccourcir la chaîne décisionnelle ».   5   4   3   2   1

– La responsabilisation des établissements scolaires exige une liberté d'action qui n'est pas compatible avec l'uniformité des manières de faire.   5   4   3   2   1

– Il y a lieu de procéder à la réduction et à la simplification des encadrements nationaux, de façon à pouvoir laisser une marge de manœuvre plus grande aux milieux scolaires.   5   4   3   2   1

Une plus grande responsabilité éducative à l'établissement

– Il faut redonner aux acteurs locaux une prise réelle sur le devenir de l'action éducative.   5   4   3   2   1

– Il est temps que les acteurs de la base participent à l'élaboration du plan d'action susceptible de traduire les principes directeurs de la mission, qu'ils conviennent des moyens nécessaires à leur action et qu'ils procèdent à l'évaluation des résultats atteints.   5   4   3   2   1

– Que l'on redonne au directeur de l'établissement un rôle de leadership, qu'il redevienne en un sens « l'enseignant principal », celui qui sait susciter la participation des personnels.   5   4   3   2   1

	Entièrement d'accord				Pas du tout d'accord

Un partenariat actif

- Ce modèle propose la constitution d'équipes responsables, capables d'analyser les attentes et d'agir sur les réalités du milieu.   5   4   3   2   1

- Il importe de faire appel aux compétences et à l'expérience des personnels pour la recherche de solutions aux problèmes.   5   4   3   2   1

- Ce partenariat implique une collaboration plus intense avec les parents et une meilleure relation avec les autres partenaires du milieu.   5   4   3   2   1

- Une gestion qui privilégie une dynamique éducative centrée sur la formation de l'élève et le soutien à l'acte pédagogique lie aussi le pouvoir politique.   5   4   3   2   1

Évaluation et imputabilité

- Des efforts importants doivent être consentis sur le plan de l'évaluation critique des actions menées et de la transmission de ces résultats à la population.   5   4   3   2   1

- L'évaluation institutionnelle doit d'abord être formative, c'est-à-dire viser à soutenir les acteurs dans l'exercice de leurs fonctions et améliorer leur rendement.   5   4   3   2   1

- L'imputabilité est l'occasion d'aller chercher la rétroaction sur les services offets et un moyen d'alimenter les projets à venir.   5   4   3   2   1

BIBLIOGRAPHIE

CONSEIL SUPÉRIEUR DE L'ÉDUCATION (1993). *La gestion de l'éducation: nécessité d'un autre modèle*, Rapport annuel 1991-1992 sur l'état et les besoins de l'éducation, Québec, Les Publications du Québec.

MACCOBY, M. (1988). *Travailler pourquoi?*, Paris, InterÉditions.

PATTERSON, J.L. (1993). *Leadership for Tomorrow's Schools*, Alexandria, Association for Supervision and Curriculum Development.

SENGE, P. (1991). *La cinquième discipline: L'art et la manière des organisations qui apprennent*, Paris, FIRST.

SÉRIEYX, H. (1993). *Le big bang des organisations*, Paris, Calmann-Lévy.

CHAPITRE 2

LA RÉORGANISATION DU TRAVAIL EN MILIEU SCOLAIRE

Bureaucratie : le moyen le plus rationnel que l'on connaisse pour exercer un contrôle impératif sur les êtres humains.

Max WEBER

L'ÉCOLE, UN CENTRE D'APPRENTISSAGE

Pour améliorer l'apprentissage des élèves, l'organisation scolaire doit mettre en présence tous les acteurs : l'enseignant, l'équipe-école et les administrateurs scolaires. Actuellement, dans la plupart des commissions scolaires, ceux-ci sont séparés et travaillent de façon isolée les uns des autres, de sorte qu'il se développe souvent entre eux des relations teintées d'un manque de confiance.

L'unité de base de l'école renouvelée est l'équipe qui pense, apprend et agit ensemble. La dynamique des échanges constitue un moyen extraordinaire pour augmenter le potentiel de créativité. Comme le dit Senge (1991) : « L'apprentissage collectif n'est pas seulement possible. Il est vital pour que l'intelligence humaine donne le meilleur d'elle-même. »

Le dialogue doit se faire, non plus sur une base hiérarchique, mais plutôt à partir du principe que tous les acteurs sont unis autour d'une même cause et partagent la responsabilité de la réussite.

L'amélioration des écoles est alors moins dépendante d'une seule personne, comme le directeur, et dépend surtout des relations qui existent entre le directeur, les enseignants, les administrateurs de la Commission scolaire et les membres du milieu. (Barkley et Castle, 1993)

L'école doit devenir :

- un centre d'apprentissage pour tout le monde ;
- un regroupement de collègues unis pour faire avancer les connaissances ;
- un lieu où la réflexion collective est utilisée pour créer une organisation scolaire renouvelée.

Il devient donc nécessaire de créer une nouvelle interdépendance entre les acteurs, car ils ont une responsabilité commune : améliorer l'apprentissage chez les élèves. Leurs objectifs prioritaires sont les mêmes. Ainsi, les trois groupes d'acteurs (l'enseignant, l'équipe-école et les administrateurs) sont responsables de l'amélioration de l'apprentissage et du soutien nécessaire qu'ils doivent s'apporter. Ils sont mutuellement interdépendants. Les administrateurs qui ne sont pas étroitement liés aux enseignants et aux écoles ont de grandes difficultés à créer des conditions pour soutenir le changement continu. Sans le soutien des administrateurs scolaires, peu d'écoles pourront s'engager d'une façon efficace dans l'amélioration de l'apprentissage.

Dans une organisation scolaire renouvelée, les enseignants, l'équipe-école et les administrateurs réfléchissent sur leurs actions et prennent des initiatives pour améliorer l'apprentissage chez les élèves.

Pour réaliser un renouvellement de l'organisation scolaire qui vise l'amélioration de l'apprentissage, il est nécessaire de modifier la culture des écoles et de changer les rôles actuels des divers acteurs.

MODIFIER LA CULTURE DE L'ÉCOLE

Depuis des années, le thème de l'amélioration des organisations scolaires est abordé, mais les écoles ressemblent toujours à des organisations inspirées du modèle des manufactures de l'ère industrielle : la parcellisation du travail de l'enseignant, la brièveté de son contact avec les élèves, son exclusion de la planification du programme d'enseignement, des prises de décision qui concernent son travail, l'imposition de normes administratives de toutes sortes… L'organisation améliorée exige de changer les façons de faire. Il devient nécessaire de se donner des lignes directrices, qui se transformeront en actions dans les écoles. Lorsque ces lignes directrices trouveront leur réalisation, elles changeront la culture de l'école (Lezotte et Jacoby, 1990). Ces lignes directrices sont les suivantes :

- L'école doit se donner comme mission prioritaire de mettre l'accent sur l'enseignement pour favoriser l'apprentissage.
- L'école doit être imputable des résultats obtenus.
- La prise de décision doit être décentralisée vers l'école, laquelle sera reconnue comme le lieu de l'amélioration de l'apprentissage.
- Il est nécessaire d'augmenter le pouvoir des enseignants pour qu'ils puissent participer collectivement et d'une façon significative à la prise de décision, la planification et l'évaluation des programmes de l'école.
- Le processus d'appropriation du pouvoir par les enseignants doit mettre l'accent sur la recherche et la description des pratiques efficaces comme des intrants importants pour améliorer l'école.
- Les administrateurs scolaires doivent démontrer des habilités à la fois comme gestionnaires efficients et comme leaders visionnaires efficaces.

Il faut, en d'autres termes, énergiser les ressources humaines, leur donner le pouvoir nécessaire pour atteindre la mission fondamentale de l'institution scolaire : l'amélioration continue de l'apprentissage de chacun des élèves de l'école. Ces lignes directrices modifient le rôle de la plupart des ressources humaines de la commission scolaire et particulièrement celles de l'école. Mais l'amélioration de l'école ne prend jamais fin ; c'est une succession ininterrompue de gestes professionnels.

LES NOUVEAUX RÔLES

Si l'école doit être transformée, il faut modifier la façon d'agir de tous ceux qui sont en relation avec elle. La transformation de l'école ne peut être réalisée sans réajuster d'une façon importante le rôle de chacun des acteurs.

Dans le contexte de la réorganisation scolaire, l'enseignant sera influencé surtout par les nouvelles relations professionnelles qu'il devra établir avec ses collègues, les administrateurs, et les parents pour améliorer l'apprentissage des élèves. En plus de sa tâche d'enseignement, de nouvelles activités pourraient appuyer ce nouveau rôle, notamment le mentorat pour les nouveaux enseignants, son implication dans l'enrichissement des programmes, la supervision entre les pairs, sa participation à la formation continue, déterminée selon les besoins liés à l'amélioration de l'apprentissage, le travail en équipe, sa participation aux décisions liées aux politiques de l'école, la recherche-action et l'accueil des stagiaires.

Un des éléments majeurs de la transformation de l'école est la modification de l'autorité et du pouvoir relativement à la gestion de l'école. Il sera nécessaire de mettre au point de nouvelles procédures de participation pour prendre des décisions concernant le programme, le budget et le personnel de l'école. Il faudra aussi créer de nouveaux mécanismes qui rendent le personnel et l'école imputables des résultats obtenus. Il faudra aussi soutenir un processus continu de la transformation de l'organisation.

Le tableau 2.1, adapté de English et Hall (1990), présente un ensemble de caractéristiques de l'école qui sont appelées à être modifiées dans une école transformée.

POUR UNE TRANSFORMATION PERMANENTE

Mais comment persévérer dans la transformation de l'école vers l'amélioration continue de l'enseignement et de l'apprentissage ? C'est là une question importante. En effet, il est possible de déployer pendant un certain temps des efforts soutenus pour transformer l'école, mais le défi est de maintenir le cap sur cet objectif. Pour réussir, il faut la collaboration de tous les acteurs de l'organisation et une stratégie de changement en huit étapes.

1. *Équipe d'amélioration locale*

   La transformation de l'école vers l'amélioration de l'enseignement et de l'apprentissage est un processus exigeant, de longue haleine et complexe. Ce processus pourra être rendu plus facile si la démarche est partagée par une équipe composée du directeur de l'école, d'enseignants, d'administrateurs et de parents. Cette équipe pourrait avoir le mandat de planifier, de coordonner, de gérer le processus de transformation de l'école.

Tableau 2.1

ÉVOLUTION DES FACTEURS DE L'ÉCOLE TRADITIONNELLE À L'ÉCOLE TRANSFORMÉE

Facteurs	École traditionnelle	École efficace	École transformée
Concept de base	Organisation scientifique du travail.	Recherche sur l'école efficace.	Large participation des enseignants.
Organisation	Pyramidale : le directeur au sommet, les enseignants à la base.	Équipe de la direction en relation avec les enseignants.	Les directeurs et les enseignants forment un conseil lié à des équipes d'enseignants qui sont en relation avec les élèves et leurs parents.
Communication	Du haut vers le bas : réunion formelle du personnel, partage de l'information.	Du haut vers le bas ; le directeur prend l'initiative d'émettre un feed-back et en exige en retour.	Verticale et horizontale dans les deux sens, en provenance d'une équipe, d'un conseil, d'un individu.
Prise de décision	Le directeur a des responsabilités légales pour les décisions. Les enseignants sont perçus comme incapables ou ne voulant pas accepter la responsabilité de la décision.	Le directeur : – cherche de l'information et des conseils pour une prise de décision au niveau de l'école ; – tient le personnel informé des décisions.	Beaucoup de collaboration ; des décisions sont prises à différents niveaux ; le directeur et les enseignants savent si : – les décisions sont prises seules ; – les décisions exigent des consultations ; – les décisions sont prises en collégialité.
Leadership	Autoritaire	Un leader persuasif qui présente sa vision personnelle et parvient à convaincre les enseignants de son bien-fondé.	Un leader transformateur qui encourage le leadership chez les enseignants.
Rôle du directeur	Gestionnaire : il implante les programmes de façon efficace et il agit comme contrôleur.	C'est un leader pédagogique qui vise l'excellence dans l'enseignement, est préoccupé par les programmes et les résultats ; il résoud des problèmes et agit comme contrôleur.	Il fait preuve d'entrepreneurship et explore les nouveaux programmes, les occasions de reconnaissance pour le personnel ; il est opportuniste, encourageant ; il résoud les problèmes ; il est animateur et contrôleur.

Tableau 2.1 (suite)

ÉVOLUTION DES FACTEURS DE L'ÉCOLE TRADITIONNELLE À L'ÉCOLE TRANSFORMÉE

Facteurs	École traditionnelle	École efficace	École transformée
Sélection du personnel de l'école	Le directeur ou les administrateurs de la commission scolaire font les entrevues et choisissent.	Utilisation d'outils de sélection basée sur les résultats de recherche ; le directeur ou les administrateurs de la commission scolaire choisissent.	Un comité de l'école développe les critères ; le directeur réduit le bassin des demandes selon les critères. Une équipe d'enseignants fait passer les entrevues et fait les recommandations.
Supervision de l'enseignement	Supervision évaluative basée sur les politiques de la commission scolaire.	Supervision clinique pour produire les résultats attendus.	L'observation par les pairs, consultations, mentorat pour les nouveaux.
Élève	Écoute, mémorise, répond, est patient, est à l'heure, persiste à l'école.	Écoute, est à l'œuvre, maîtrise les fondements, obtient de bons résultats sur des tests standardisés.	Vise des objectifs, maîtrise les fondements, organise, utilise l'information, enquête, résout des problèmes.
Relations avec les parents	Les parents procurent un soutien verbal aux enseignants.	Les parents ont des attentes élevées relativement à la réalisation des devoirs des enfants. Ils sont volontaires et soutiennent le programme pédagogique de l'école.	Les parents donnent un soutien verbal et social aux objectifs de l'école. Ils sont des membres partenaires de l'équipe parents-enseignants. Ils participent au conseil d'établissement pour agir sur les politiques et visées de l'école.
Imputabilité	Indicateurs traditionnels : classe sans turbulence, ordre, comportement poli et responsable, propreté des lieux et usage efficient des sommes allouées.	Diminution de décrocheurs, des attentes élevées, amélioration des résultats aux tests standardisés.	Les élèves maîtrisent des habiletés vérifiées selon certains critères ; se préparent à un travail, à une carrière ; s'impliquent dans la communauté.

Source : Adapté de English, F.W. et J.C. Hall (1990). *The Principal and Curriculum Change*, Virginia, National Association of Secondary Schools Principals.

2. *Activités de sensibilisation*

L'équipe d'amélioration informe les parents, les enseignants, les élèves de la nécessité de transformer l'école, sur le principe de cette transformation et sur les étapes du processus qui conduisent à la réalisation du projet d'amélioration.

3. *Collecte des données*

L'équipe d'amélioration recueille des données sur différents aspects de la vie à l'école, notamment sur :

- la satisfaction des élèves ;
- la réussite scolaire (succès, échec, redoublement, décrochage…) ;
- le climat à l'école ;
- la satisfaction des enseignants ;
- la satisfaction des parents ;
- l'opinion des enseignants sur les objectifs de l'école, l'autonomie des enseignants, la participation aux prises de décisions.

4. *Analyse des résultats*

L'équipe d'amélioration de l'école détermine les forces et les faiblesses de l'école.

L'équipe propose des mesures que l'école pourrait prendre pour améliorer l'enseignement et l'apprentissage.

Chacune des suggestions est analysée en tenant compte de son impact sur l'amélioration de l'enseignement et de l'apprentissage.

5. *Établissement des priorités*

L'établissement des priorités de même que leur planification devrait idéalement impliquer tout le personnel de l'école et les représentants des parents et des élèves. Des ateliers de travail seraient formés pour :

- identifier les actions prioritaires qui auraient une très forte incidence sur l'amélioration de l'enseignement et de l'apprentissage ;
- établir, pour les trois années suivantes, un consensus sur les différents aspects de la réussite éducative ;
- convenir de la formation de différents comités chargés de planifier et de gérer les activités liées à chacun des aspects de la réussite éducative.

6. *Organisation des équipes de travail*

Des membres du personnel de l'école sont désignés pour chacune des équipes.

Chaque équipe, après analyse et discussion, propose une série d'activités susceptibles d'améliorer l'enseignement et l'apprentissage.

7. *La formation continue*

Selon les diagnostics, les discussions et les consensus obtenus, chaque équipe analyse les besoins de formation du personnel qui permettraient d'améliorer l'enseignement et l'apprentissage à l'école.

8. *Évaluation de l'impact*

Chaque année, l'équipe d'amélioration évalue l'impact du processus d'amélioration selon les résultats obtenus par les élèves, au regard de chacun des aspects de la réussite éducative et des diverses autres caractéristiques de l'école.

Les résultats sont communiqués aux administrateurs, au personnel de l'école et aux parents.

Pour réaliser une telle opération, qui conduit à la transformation de l'école et vise avant tout l'amélioration de l'enseignement et de l'apprentissage, plusieurs mesures touchant la réorganisation du travail sont mises en œuvre.

Une démarche conduisant à l'amélioration de l'enseignement et de l'apprentissage suppose que la commission scolaire ait une vision claire de ce vers quoi elle veut s'orienter au cours des années à venir. Cette vision, qui s'appuie sur certaines valeurs, devrait être partagée par tous les membres du personnel.

La commission scolaire devra donner à l'école la marge de manœuvre nécessaire à la réalisation de cette vision. L'équipe-école aura alors suffisamment d'autonomie pour exercer son pouvoir afin de contribuer à l'amélioration de l'enseignement et de l'apprentissage de tous les élèves de l'école. Ainsi, l'école s'éloignera du modèle bureaucratique et deviendra progressivement une institution transformée, dont la réorganisation est présentée au tableau 2.2.

En collégialité, les enseignants font, grâce à leur pouvoir et à leur sens critique, des recommandations constructives pour améliorer non seulement l'application des programmes scolaires, mais aussi la gestion de l'école. Un nouveau partenariat s'installe entre l'enseignant, l'équipe-

Tableau 2.2
LA RÉORGANISATION SCOLAIRE

Dimensions du travail	École traditionnelle	École renouvelée
Certitude à l'égard de la tâche	Élevée Relativement peu de problèmes Moyens identifiés pour les résoudre	Faible Chaque situation présente des particularités
Expertise	Au sommet	À la base
Recherche de solutions	Favorisée par des règlements	Basée sur la pratique réflexive des enseignants
Attentes à l'égard		
• des connaissances de l'enseignant	Niveau de base exigé	Très bonnes connaissances exigées
• de l'engagement de l'enseignant	Utile mais non déterminant	Crucial
Décisions stratégiques	Prises par les administrateurs seulement	Prises par les enseignants et les administrateurs
Décisions opérationnelles	Contrôlées par une supervision directe et des processus de standardisation du travail	Ajustement mutuel fait en collégialité Mêmes valeurs partagées
Encouragement	Surtout financier	Extrinsèque et intrinsèque

école et les administrateurs. De nouveaux rôles sont alors tenus par les différents acteurs de l'organisation scolaire.

L'école doit aussi se porter garante des résultats qu'elle obtient puisqu'elle contrôle les conditions de succès des élèves. C'est à cette condition qu'on peut parler de professionnalisme collectif. En somme, l'école est maintenant plus que jamais une organisation où tous apprennent.

Une nouvelle génération d'enseignants est maintenant en place dans les écoles. Elle exige de participer aux décisions et d'être considérée comme partie prenante de l'ensemble de l'organisation. Cette exigence rendra la réorganisation nécessaire.

Cette réorganisation ne vise qu'un but : l'amélioration de la réussite éducative. Voilà le défi qui est posé à tous les acteurs du système.

| INSTRUMENT | *Le chapitre 2 faisait état de la réorganisation scolaire au sein de l'école, en mettant l'accent sur la nécessité de créer de nouvelles interdépendances entre les acteurs scolaires en vue de l'amélioration de l'apprentissage des élèves.*

Le questionnaire suivant veut permettre aux acteurs scolaires : enseignants, équipe-école et administrateurs scolaires de s'interroger sur une nouvelle organisation scolaire.

LA RÉORGANISATION SCOLAIRE : UN NOUVEAU MODÈLE

1. Quelle contribution le travail du personnel devrait-il apporter à l'école (ou à la commission scolaire) ?

2. Quelle compétence devrait être exigée des membres du personnel pour une réorganisation à l'école (ou à la commission scolaire) ?

3. Quel type de participation devrait être favorisé à l'école (ou à la commission scolaire) ?

4. Quelle marge d'autonomie devrait être laissée à l'école par la réorganisation scolaire ?

5. Quels modes de coopération devraient être favorisés entre le personnel ?

6. Quels modes de coopération devraient être favorisés entre les unités administratives ?

7. Quel type de communication devrait s'établir au sein de l'école (ou de la commission scolaire) ?

8. Quelles structures participatives devraient être mises en place dans une réorganisation scolaire ?

BIBLIOGRAPHIE

BARKLEY, R. et S. CASTLE (1993). *Principals and Action : A Framework of Systemic Change*, Washington, National Education Association.

ENGLISH, F.W. et J.C. HALL (1990). *The Principal and Curriculum Change*, Virginia, National Association of Secondary Schools Principals.

LEZOTTE, L.W. et B.C. JACOBY (1990). *A Guide to the School Improvement Process Based on Effective Schools Research*, Okemos, Effective Schools.

SENGE, P. (1991). *La cinquième discipline : L'art et la manière des organisations qui apprennent*, Paris, FIRST.

GESTION CENTRÉE SUR L'ÉCOLE

*Nous oublions souvent qu'au-delà de nos titres
et de nos fonctions hiérarchiques, au-delà même
de notre savoir et de notre pouvoir nous sommes
embarqués ensemble dans une même aventure
et sur le même bateau.*

Alexandre Minkowski

INTRODUCTION

Depuis plus d'une décennie, notre société a vécu d'importantes muta-
tions. Après avoir relevé les principaux défis liés à l'organisation
scientifique du travail et à la formation de masse, les dirigeants doivent
maintenant faire face à l'émergence des technologies de pointe qui,
entre autres, permettent l'extension des capacités du cerveau, et de
surcroît, la réalisation de défis incroyables. Cette situation engendre la
recherche de l'excellence et une farouche compétitivité, facteurs qui
obligent les dirigeants à demander aux employés de fournir des efforts
sans contrepartie, sans pour autant les impliquer dans les divers
processus qui régissent la gestion des systèmes.

En effet, les tâches à accomplir, parfois imposées par un système
bureaucratique auquel les employés sont étrangers et hostiles, et les
demandes du système, qui ne tiennent nullement compte de l'initiative

personnelle qui demeure de nos jours, aussi surprenant que cela puisse paraître, encore réduite dans plusieurs organisations qu'elle l'était au temps de Taylor, ardent défenseur de l'organisation scientifique du travail, ne donnent guère des résultats satisfaisants.

Les organisations scolaires, elles non plus, ne font pas exception. Longtemps administrées à la manière taylorienne par des cadres trop peu soucieux de la « chose scolaire », elles étaient fermées à leurs membres et à leur milieu. Au Québec, malgré la Loi 107, rares sont les écoles qui impliquent de façon implicite et explicite les enseignants, les parents et le milieu dans les processus de prise de décision. Comme résultats, on constate un faible intérêt de la part des agents de l'éducation pour les réalités scolaires, un désintérêt des élèves pour les études, ce qui entraîne un taux de décrochage scolaire de plus en plus élevé et la non-participation des parents à la vie de l'école.

Pour atténuer les effets produits par cette manière de diriger et redonner à la communauté scolaire et au milieu, le goût de s'engager dans l'aventure technologique de cette fin de siècle, les experts en management se sont évertués, de façon stratégique, à chercher et à inventer des méthodes et procédés pouvant favoriser l'implication des agents de l'éducation dans le processus de gestion des écoles, et permettre ainsi à celles-ci, d'atteindre l'excellence. On comprend donc que la technologie impose le changement. Ce dernier doit se faire dans la gestion de toutes les sphères du système scolaire. Afin que cette gestion soit efficace, il faut donc qu'elle soit confiée à ceux qui font et qui vivent l'école, soit le directeur, les enseignants, les élèves, les parents et le milieu, tous en interrelation avec la commission scolaire. Ce type de gestion caractérise la gestion centrée sur l'école.

DÉFINITION

La gestion centrée sur l'école ou GCE, qu'on appelle communément en anglais *School Based Management* ou *School Site Management*, est un système managérial qui considère l'école comme une entité unique, relativement autonome dans la commission scolaire. Ce système regroupe en général différents membres du personnel de l'école, tels que les enseignants, le directeur et les professionnels non enseignants, qui prennent des décisions concernant les programmes, le personnel et les budgets, avec la participation des parents, des élèves (s'il s'agit du secondaire) et des membres du milieu.

Pour Candoli (1995), le concept suppose que parents, enseignants et directeur connaissent bien les élèves et puissent, d'un commun accord, mettre au point les programmes adaptés à leurs besoins. Ils deviennent alors des collaborateurs chevronnés, qui prennent des décisions touchant directement les élèves. Ces décisions concernent les programmes, le curriculum, l'emploi du temps et la didactique.

Selon Lindelow et Bentley (1989), le rôle des commissions scolaires est de formuler et de définir les politiques générales des écoles ainsi que les objectifs éducatifs. Dans la gestion centrée sur l'école, leur rôle, cependant, passe de la définition des actions à mener à l'école à la facilitation de ces actions. Ce système administratif est différent des systèmes traditionnels, dans lesquels l'administration centrale détient tout le pouvoir de décision. Dans la gestion centrée sur l'école, la commission scolaire délègue le pouvoir à l'école. Il s'agit en effet d'une décentralisation et d'une « débureaucratisation » de l'autorité de la commission scolaire sur l'école.

Malen et Ogawa (1988) renchérissent : « La gestion centrée sur l'école peut être perçue conceptuellement comme une modification des structures dirigeantes, comme une forme de décentralisation qui identifie l'école en particulier comme une unité principale d'amélioration et qui compte sur la redistribution de l'autorité pour la prise de décision comme la voie principale à travers laquelle les améliorations doivent être stimulées et soutenues ».

Dans le même ordre d'idées, Lindelow et Bentley (1989 : 109) estiment que la gestion centrée sur l'école « est un système d'administration dans lequel l'école est l'unité principale de la prise de décision en éducation ». Pour Murphy (1991), la gestion centrée sur l'école est un élément de la réorganisation scolaire. C'est une forme de décentralisation administrative qui confie au milieu et au personnel des écoles, le pouvoir et l'autorité pour la prise de décision et la direction des écoles. David (1990), pour sa part, ne s'éloigne pas de l'idée des autres auteurs. Elle pense que la gestion centrée sur l'école peut être définie selon l'équation suivante : autonomie de l'équipe-école plus partage du pouvoir des membres au niveau dans la prise de décision. Selon elle, l'école est toujours l'unité de base en matière de prise de décision. Pour cela, les décisions importantes la concernant doivent être prises par le directeur et son équipe. Le directeur partagera avec les enseignants les responsabilités se rapportant à trois secteurs importants : le budget, le curriculum et le personnel.

Mohrman, Lawler et Mohrman (1992), quant à eux, proposent qu'on tienne compte de quatre facteurs de participation dans la définition opérationnelle de la gestion centrée sur l'école.

1. Pouvoir prendre des décisions qui influencent les pratiques, les politiques et les orientations de l'organisation.

2. Améliorer les connaissances techniques pour effectuer le travail ou, le cas échéant, les connaissances managériales sur la gestion décentralisée.

3. Informer les membres de l'organisation sur la performance de celle-ci en tenant compte des revenus et des dépenses.

4. Prendre en considération les gains qui relèvent de la performance de l'organisation et de la contribution des individus.

De ces définitions se dégagent plusieurs points dont les suivants :

– la GCE est un système administratif composé des membres actifs de l'école, comme le directeur, les enseignants, les élèves, les professionnels non enseignants ;

– au personnel de l'école s'ajoutent les membres de la communauté scolaire tels que les parents d'élèves, les agents des commissions scolaires et les personnalités du milieu ;

– ces personnes forment une équipe, qui, investie d'un certain pouvoir d'autorité, s'engage à améliorer l'éducation en prenant des décisions concernant les budgets, les programmes et le personnel de l'école.

La GCE est finalement un système qui a pour but de laisser la gestion de la vie de l'école entre les mains de ceux qui sont le plus concernés. Ces gens deviennent des partenaires dans la même cause, celle du changement quand au partage des rôles et des responsabilités, tant entre la commission scolaire et le directeur qu'entre le directeur et tous les acteurs scolaires.

Pour Clune et White (1988 : 1), la gestion centrée sur l'école « est un système d'administration destiné à améliorer l'éducation en augmentant l'autorité des acteurs au sein de l'école. » Dans le même ordre d'idées, Drolet (1992) affirme que cette forme de gestion, où les décisions sont prises au niveau local, vise à fournir de meilleures occasions de réussite à l'élève et à stimuler, par voie de conséquence, ses progrès.

POURQUOI LA GCE ?

Lorsqu'on aborde la question de l'administration des organisations, on fait toujours référence à deux systèmes administratifs, soit le système centralisé, autoritaire, autocratique, soit le système démocratique, décentralisé. Depuis plus d'une décennie, les érudits du management ont constaté, avec l'évolution de la société, que le système centralisé que nous appelons le « vieux système », ne cadre plus avec les principes de l'excellence dont les acteurs scolaires sont avidement à la recherche. Comment alors procéder pour atteindre cette excellence ? Réorganiser le système éducatif, c'est-à-dire opter pour le changement au niveau des valeurs, des rôles, de la culture de l'école et du partage des pouvoirs.

Au Québec, le ministère de l'Éducation a pris certaines mesures pour améliorer le système scolaire, mais les véritables changements s'avèrent lents à se concrétiser dans les écoles. Si nous faisions un peu d'histoire ?

HISTORIQUE

La *Loi sur l'instruction publique*, votée en 1899, régit au Québec tout le système d'éducation. Plusieurs amendements furent apportés à cette loi. C'est ainsi que la Loi 27, adoptée en 1972, créa les comités d'école et comités de parents, en précisant leurs fonctions. La Loi 30, quant à elle, créa en 1979 le poste de représentant des parents à la table des commissaires sans droit de vote, mais avec les mêmes droits et devoirs. La Loi 71 de 1979 assure le renouvellement de l'école primaire et secondaire, favorise la réalisation du projet éducatif, précise les pouvoirs consultatifs des différents comités du système scolaire, permettant ainsi la participation du personnel de l'école, des élèves, des parents et des membres du milieu. Vint enfin la Loi 107, adoptée le 23 décembre 1988, qui entra en vigueur le premier juillet 1989 pour remplacer la *Loi sur l'instruction publique*.

La Loi 107, tout en maintenant et en renforçant la structure consultative de la Loi 71 (décembre 1979), précise les pouvoirs consultatifs des différents comités au niveau de l'école et de la commission scolaire. Elle stipule (article 57) que dans le conseil d'orientation « les représentants des parents doivent être en nombre au moins égal au nombre total de représentants des autres groupes » et que (article 66) le président soit issu de ce groupe. Ce conseil est également composé de représentants du personnel enseignant et non enseignant, d'un représentant de la communauté, et éventuellement des élèves qui sont en mesure de s'intéresser (dans le cas des écoles secondaires) aux problèmes de leur école et de participer à la formulation des propositions à soumettre au conseil d'orientation.

Le conseil d'orientation se voit confier la détermination des orientations de l'école qui sont contenues dans le projet éducatif (article 77). Ce conseil se voit alors déléguer par la commission scolaire, selon l'article 218, certains de ses pouvoirs et certaines de ses fonctions. Malgré tout, avec la Loi 107, l'administration des écoles demeure centralisée. La gestion totale du budget de l'école, le choix des programmes et du personnel enseignant et non enseignant, les questions pédagogiques, la formation continue du personnel, la suppléance et les congés ne sont toujours pas totalement à la discrétion de l'école-même, et par ricochet du comité d'école ou du conseil d'orientation de l'école, ou encore des comités indépendants formés par l'école.

C'est la commission scolaire qui détient non seulement le plein pouvoir de décision, mais aussi le plein droit de regard sur ces aspects importants de l'école. Malgré ces réserves, la Loi 107 comporte nombre de changements assez tangibles, qui favorisent la participation des parents à l'amélioration de l'école. Mais cette participation n'a pas amélioré l'apprentissage et les relations des acteurs de l'école. La Loi 107 ne donna pas aux divers comités plein pouvoir dans le processus de décision concernant les domaines que nous venons d'énumérer. Il y a alors lieu de parler de centralisation. Que doit-on faire ?

Par ailleurs, la commission des États généraux sur l'éducation a proposé dans son rapport final déposé en 1996, une réforme du système d'éducation et a énoncé les orientations suivantes : réduire le nombre des commissions scolaires, élaborer une politique d'éducation interculturelle et d'intégration culturelle, augmenter les places en formation professionnelle et technique, accroître le partenariat (formation, équipement) avec les entreprises et modifier la Loi 107.

À l'automne 1996, dans la foulée des États généraux sur l'éducation, la ministre de l'Éducation, madame Pauline Marois, rend publiques les grandes orientations de sa réforme. Elle affirme qu'il est urgent de rénover notre système d'éducation, mais sans qu'il faille pour autant repartir à zéro. Elle propose de faire prendre à l'éducation le virage du succès. Elle

prévoit, notamment, des amendements législatifs et réglementaires pour l'élargissement des pouvoirs de l'école. Les buts de ce virage sont :
- d'accroître les responsabilités et la marge de manœuvre de l'école ;
- de décentraliser l'organisation du travail ;
- d'augmenter le leadership pédagogique des directions d'école ;
- de mieux reconnaître et de mieux soutenir la compétence pédagogique du personnel enseignant ;
- de renforcer les liens des écoles et des commissions scolaires avec le milieu et de clarifier leurs obligations quant à l'imputabilité.

À l'automne 1997, la ministre de l'Éducation présente son énoncé de politique éducative, *L'école tout un programme*, qui précise et explique les changements dont feront l'objet les écoles primaires et secondaires du Québec au cours des prochaines années. L'école exercera un ensemble de fonctions et de pouvoirs actuellement dévolus à la commission scolaire, tout en y demeurant rattachée. Ces pouvoirs accrus seront assortis d'obligations, entre autres, en matière d'encadrement des élèves et d'évaluation institutionnelle. Le rôle de l'équipe-école sera officialisé par le conseil d'établissement qui sera mis sur pied afin de consolider l'autonomie de l'école. Ces orientations énoncées par la ministre visent une décentralisation de l'éducation, ce qui montre bien que les structures étaient centralisées. Mais, qu'entend-on par décentralisation ?

CENTRALISATION BUREAUCRATIQUE

Définition

La centralisation bureaucratique est le fait de rapporter tous les moyens d'action, de contrôle et tous les pouvoirs de décision à une direction unique. Centraliser signifie le non-partage du pouvoir. Mintzberg (1986 : 173) renchérit en ces termes : « la structure est centralisée quand tous les pouvoirs de décision se situent à un seul point dans l'organisation – à la limite – dans les mains d'un seul individu ».

Pour Lindelow et Bentley (1989), l'administration scolaire centralisée pose comme principe « que l'éducation est une science et qu'il suffit seulement de donner assez d'informations aux intervenants scolaires pour qu'ils soient capables d'accepter un programme comme étant le meilleur pour tous les élèves. » Cette définition indique que l'administration centrale est une sorte de bureaucratie qui accorde peu d'importance à la consultation dans la conception et même dans le choix des programmes. Se contenter simplement d'informer est considéré comme suffisant. Il n'y a pas lieu de critiquer, ni d'innover. Bien que le programme imposé ait été conçu avec de bonnes intentions, il y a de fortes chances qu'il ne tienne pas compte totalement des besoins spécifiques des acteurs et surtout de ceux qui sont en situation de minorité. Le texte qui suit décrit bien l'administration scolaire centralisée telle qu'elle existe au Québec.

La hiérarchie de la commission scolaire considère le directeur d'école comme un agent du directeur général. Le directeur doit en apparence faire fonctionner l'école, mais en réalité, il œuvre comme un véhicule qui transmet et met en pratique les décisions de la commission scolaire. Comme résultat, le directeur et ses enseignants deviennent des rouages incorporés à une impersonnelle et grande machine dont le machiniste, le directeur général, doit lubrifier de façon uniforme chaque rouage afin qu'elle puisse fonctionner. La centralisation s'appuie avant tout sur la standardisation des tâches, pour tous les directeurs d'école par exemple, et la spécialisation des emplois. Le but de la centralisation est de rationaliser la façon dont les problèmes sont gérés et la façon dont les programmes sont administrés. La méthode de solution des problèmes dans les organisations bureaucratiques est de les confier aux titulaires de postes plutôt qu'aux personnes. Dans les organisations centralisées, la question cruciale est la suivante : qui a l'autorité pour régler ce problème ? Les problèmes sont « distribués » par la hiérarchie. Les solutions sont trouvées, puis transmises au reste de l'organisation.

Les caractéristiques de la centralisation

Arguments en faveur de la centralisation

La centralisation bureaucratique repose sur le statut, qui fonde l'autorité. La situation et le rang y jouent un rôle essentiel. L'efficacité et l'excellence recherchées occultent les innovations et mettent l'accent sur la répétition constante des mêmes façons de faire. Elle s'appuie sur les règlements, les normes, les directives, définit les procédures et récompense le respect de l'autorité. Les statuts sont rémunérés, le salaire lié à la situation et les situations échelonnées selon une hiérarchie. La centralisation bureaucratique fonctionne par le biais de structures formelles, afin de gérer et canaliser le flux d'information. Elle assigne aussi des mandats spécifiques, attribue des territoires déterminés qui circonscrivent l'action et visent la propriété et le contrôle (Kanter, 1977 : 411-412). Selon Mintzberg (1986), la centralisation est le mécanisme le plus puissant pour coordonner les décisions dans une organisation. On trouve plus facile de confier la prise des décisions à un seul individu, à un seul centre, ce qui donne une direction unique à la supervision. L'argument qui milite en faveur de la centralisation est le besoin de coordination. Cependant, le goût du pouvoir est souvent bien camouflé.

Une telle administration ne comporte-t-elle pas des inconvénients pour les écoles, vu l'évolution rapide que l'on connaît aujourd'hui ?

Plusieurs chercheurs, théoriciens et praticiens (Peters et Waterman, 1982 ; Lindelow et Bentley, 1989 ; Delattre, 1989 ; Murphy, 1991) ont cherché à démontrer, soit dans leurs travaux, soit au cours de conférences, que la centralisation est la cause de plusieurs des maux dont souffrent de nos jours les organisations qui ont une administration hiérarchique et autocratique. Quels sont donc les inconvénients qu'on y rencontre ?

Arguments contre la centralisation

Nous avons dit qu'une administration centralisée est basée sur une structure rigide, parfois caduque et inflexible. C'est une administration bureaucratique qui prend toutes les décisions et impose leur mise en œuvre à ses agents. L'administration centralisée entraîne dans le système scolaire :

- un manque de motivation des parents ;
- un pouvoir réduit pour les enseignants et surtout les directeurs d'école dans les prises de décisions ;
- le laxisme des élèves ;
- un faible sentiment d'appartenance, une absence de culture organisationnelle, de partenariat et de collégialité ;
- un pouvoir excessif pour la commission scolaire ;
- une absence d'initiative et de créativité et, dans certains cas, une destruction de l'originalité, de la sensibilité et de la confiance (Lindelow et Bentley, 1989) ;
- un étouffement du sens de l'équipe et du partenariat ;
- une faible productivité (Peters et Waterman, 1982) ;
- une absence de communication et d'information ;
- une absence de leadership et de professionnalisme.

Ce type d'administration scolaire centralisée est schématisé dans la figure 3.1.

Figure 3.1
LA GESTION CENTRALISÉE

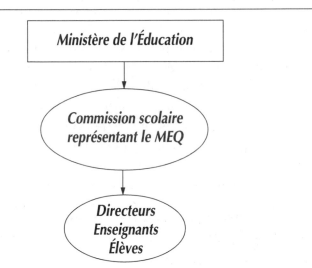

Le ministère de l'Éducation, par son personnel administratif, donne des ordres aux commissions scolaires, dont dépendent, de manière non équivoque, l'école et son directeur. Ce dernier, en tant qu'administrateur, n'a pratiquement pas de pouvoir de décision sur les domaines importants qui le concernent directement, tels que le budget, les programmes et le personnel. C'est l'administration centrale qui décide de toutes ces choses. Si l'administration centralisée est perçue comme un obstacle à l'efficacité des écoles, parce qu'elle tue par le système autocratique l'esprit d'équipe, l'esprit d'initiative, l'administration décentralisée est-elle porteuse d'espoir pour les écoles? Mais, avant d'arriver à la réponse à cette question, voyons ce que signifie la décentralisation? Pourquoi décentraliser?

DÉCENTRALISATION OU « DÉBUREAUCRATISATION »

Définition

Dans la centralisation, la relation traditionnelle entre l'école et le milieu étant linéaire, l'école devient, dans ce cas-ci, un lieu de savoir fermé à la communauté, un lieu où tout est caché et se fait entre spécialistes. Cette attitude entraînant des conséquences néfastes, parce qu'allant à l'encontre même de l'orientation stratégique qu'ont suivie les organisations aux prises avec les conséquences de l'évolution technologique, a provoqué un changement de la conception de la relation entre l'école et son environnement. On voit alors naître de nouvelles formes d'organisation de l'école et de son management, basées sur la participation, la réciprocité, le consensus entre les personnes conscientes des objectifs scolaires et devenues partenaires. C'est ce que nous appelons décentralisation.

La décentralisation selon le *Petit Robert* c'est le fait de « rendre autonome ce qui est centralisé et donner le pouvoir de décision, dans la gestion administrative locale, à des personnes publiques élues par les administrés. »

Plus concrètement, la décentralisation administrative scolaire est un processus par lequel la gestion de l'école est confiée aux autorités ou acteurs scolaires, qui sont plus près de la réalité de l'école et la vivent quotidiennement. Ces personnes sont le directeur d'école, les enseignants, les divers membres du personnel et du milieu qui s'intéressent de très près à la « chose scolaire ».

Pourquoi décentraliser ?

Une des raisons est que les décisions sont prises, contrôlées et mises à exécution par un seul centre de décision. Toutefois, un seul cerveau, un seul centre, une seule direction ne peut comprendre toutes les décisions, qui concernent souvent plusieurs personnes. Parfois, il est difficile, voire même impossible que l'information atteigne ce centre, parce qu'elle est floue, difficile à transmettre, et comporte beaucoup de distorsions. Une autre raison de décentraliser est de permettre à l'organisation de répondre aux besoins du milieu dans une perspective d'économie de temps. Une troisième raison est la motivation des employés (Mintzberg, 1986 ; Orsoni, 1990). Il est important de noter que l'idée de la décentralisation n'est pas nouvelle. Elle est souvent associée à la gestion centrée sur l'école, car ce type de gestion accorde à l'école un certain pouvoir et une maîtrise des secteurs clefs de l'école. Wohlstetter et Odden (1992) présentent la gestion centrée sur l'école sous une forme cyclique. Selon eux, on parle de décentralisation lorsque l'organisation, traversant une période de stress, est à l'affût de solutions pouvant résoudre ses problèmes. En nous appuyant sur la recension des écrits faite par Malen et Ogawa (1988), nous constatons une surprenante évolution du thème de la GCE suivant les époques et suivant les besoins des écoles que les différentes réformes réalisées aux États-Unis ont décelés.

Tout d'abord, en 1970 par exemple, l'objectif fixé était d'introduire dans les écoles des innovations en matière de gestion de l'école par l'école, innovations jugées efficaces et appelées *décentralisation*. Il fallait alors changer les choses dans l'école. Pour ce faire, on définit les étapes du changement à effectuer, les rôles des principaux acteurs et les facteurs pouvant améliorer la mise en place de ces innovations. On trouva alors que celles-ci ne répondaient pas aux attentes.

Ensuite, au début des années 1980, l'objectif était de mieux faire fonctionner le système traditionnel (Cuban, 1990; Murphy, 1990). Il était question d'accorder plus d'heures d'enseignement des matières de base, d'élever les critères de réussite, d'allonger les journées et les années scolaires et d'évaluer périodiquement les enseignants. Les résultats montraient clairement que la mise en œuvre de ces plans d'action a été plus rapide que prévue, et on arriva à une gestion directive, à une coordination à outrance, et à de la pression. Ces stratégies n'ont pas pour autant transformé la nature de l'école en général. Elles ont seulement créé une amélioration minime de sa performance (Odden et March, 1988; Murphy, 1990; Odden, 1991).

Puis, au milieu des années 1980, l'objectif de la réforme a été déplacé vers le professionnalisme des enseignants et la gestion locale de l'école, considérés comme une fin en soi. L'accent est alors mis sur la restructuration de la relation enseignant/administrateur et sur les pouvoirs de l'école.

Enfin, les années 1990 ont donné lieu à une révision fondamentale du système scolaire, avec de nouvelles perspectives quant à l'apprentissage de l'élève, l'importance de la résolution de problèmes complexes et l'importance de la compréhension conceptuelle. Pour la première fois, les décideurs, en l'occurrence les élaborateurs de politiques et les praticiens, cherchent à créer ensemble un système d'éducation où chacun aurait la place qui lui revient et où tous les élèves apprendraient à penser, à résoudre des problèmes complexes, à communiquer conformément à des standards internationaux élevés. Il ressort que les résultats de cette réforme sont des plus utiles pour la conception des stratégies de changement liées à la GCE. Le tableau 3.1 présente l'évolution de la GCE.

Tableau 3.1
GESTION CENTRALISATRICE ET GESTION CENTRÉE SUR L'ÉCOLE

Centralisation	*Décentralisation : GCE*
Gestion centralisée	Gestion de l'école par l'équipe-école
Absence de pouvoir du directeur et des enseignants dans les décisions	Pouvoir du directeur et augmentation du pouvoir des enseignants et des autres acteurs
Diminution de la participation	
Absence de l'esprit d'initiative et de créativité	Augmentation de la participation des acteurs
Disparition de l'originalité, de la sensibilité, de la confiance	Augmentation de leur responsabilité, de leur implication, de leur motivation, de leur satisfaction
Diminution de la productivité	
Absence de communication, d'information, d'appréciation et du sentiment d'appartenance	Augmentation du professionnalisme des enseignants
	Responsabilisation des élèves
Laxisme des élèves, des parents	Augmentation de l'esprit d'initiative, du succès dans l'école, des inscriptions, du sentiment d'appartenance, du sentiment de possession
Absence de leadership et de professionnalisme	
	Sens accru de la coopération, du partage, de l'entente, du partenariat et de la collégialité
	Leadership au pluriel

À la lumière de la définition de la GCE et des progrès obtenus par cette méthode, nous constatons que la décentralisation implique une réorganisation. Cette démarche au Québec a été amorcée par la loi de 1988, mais elle est encore loin du niveau atteint aux États-Unis.

L'idée de décentraliser émane d'ailleurs de théoriciens américains, qui avancent qu'une organisation qui excelle est une entité dont les administrateurs et les décideurs ont été choisis parmi les individus concernés par sa réussite (Peters et Waterman, 1982). Décentraliser, c'est donc permettre la gestion de l'école par sa base. C'est déléguer l'administration à l'école-même, et c'est ce qu'on appelle communément la GCE, un aspect tangible de la réorganisation scolaire (tableau 3.1).

Par ailleurs, il ne s'agit pas d'opposer systématiquement centralisation et décentralisation. Il faut plutôt maintenir un équilibre entre les deux. On ne peut tout centraliser ni tout décentraliser. Les questions suivantes sont par conséquent importantes. Que faut-il centraliser ? Que faut-il décentraliser et à quelles conditions ? Quel serait le rôle des auto-rités de la commission scolaire si la décentralisation se concrétiserait ?

Il est important de noter que l'école, lieu d'enseignement et d'apprentissage, est l'entité organisationnelle la plus appropriée pour la mobilisation en vue du changement. Étant donné que les écoles sont très différentes les unes des autres sur le plan des besoins, du personnel, des étudiants et des ressources, la commission scolaire doit créer des conditions dans lesquelles les enseignants et le directeur d'école auront une marge de manœuvre dans l'utilisation de leurs ressources. L'auto-nomie de gestion laissée à chaque école permet au directeur et à son équipe d'assumer la responsabilité des conditions de l'amélioration des apprentissages scolaires. La participation des enseignants à la prise de décision contribuera alors à cette amélioration.

Décentraliser vers les écoles une partie des pouvoirs qui concernent les apprentissages scolaires est un principe louable. Cependant, cette forme de décentralisation ne saurait se faire du jour au lendemain dans toutes les écoles d'une commission scolaire. La figure 3.2 décrit la situation au Québec.

C'est du ministère de l'Éducation que dépend la commission sco-laire, à laquelle est assujettie l'école. Dans cette dernière, il existe un comité d'école qui a pour but de permettre un rapprochement entre les parents et l'école, de favoriser leur participation à la vie scolaire et leur permettre de conseiller la direction de l'école. Dans la même école est formé un autre comité : le conseil d'orientation. Ce dernier ressemble sensiblement à l'équipe-école préconisée par certains tenants de la GCE aux États-Unis (Lindelow et Bentley, 1989 ; Murphy, 1991 ; Pierce, 1980) et qu'on rencontre dans des écoles qui expérimentent le système et qui en sont arrivés à des résultats concluants du point de vue de la compo-sition et de l'obtention de certains pouvoirs de décision.

Le conseil d'orientation est composé de parents d'élèves élus par le comité d'école, d'un représentant du personnel de soutien, d'un représentant de la communauté nommé par le conseil d'orientation, de deux enseignants, de deux élèves, s'il s'agit d'une école secondaire, de parents du comité d'école, d'un professionnel non enseignant et du directeur. Ce conseil favorise l'échange et la participation entre les divers acteurs de l'école en déterminant, comme son nom l'indique, les orien-tations distinctives de l'école, orientations contenues dans le projet éducatif centré sur ses valeurs propres.

Figure 3.2
GESTION PRÉCONISÉE PAR LA LOI 107

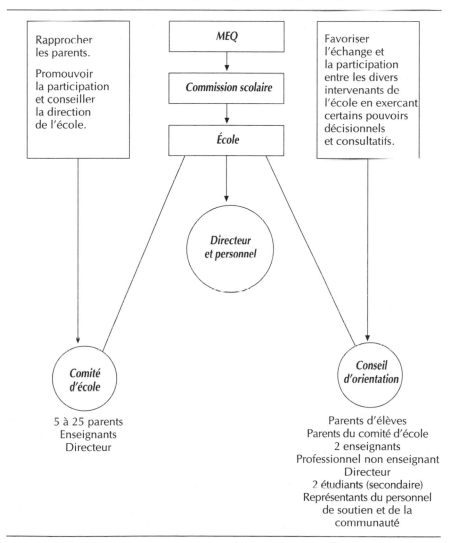

Rapprocher les parents.

Promouvoir la participation et conseiller la direction de l'école.

MEQ

Commission scolaire

École

Favoriser l'échange et la participation entre les divers intervenants de l'école en exerçant certains pouvoirs décisionnels et consultatifs.

Directeur et personnel

Comité d'école

5 à 25 parents
Enseignants
Directeur

Conseil d'orientation

Parents d'élèves
Parents du comité d'école
2 enseignants
Professionnel non enseignant
Directeur
2 étudiants (secondaire)
Représentants du personnel
de soutien et de la
communauté

La figure 3.3 présente un exemple de la GCE avec de nouvelles responsabilités et un pouvoir accru. Ces responsabilités portent sur la conception et la gestion des programmes, la gestion du budget, la sélection et la gestion du personnel.

Le plan d'action ministériel pour la réforme de l'éducation, mis de l'avant en 1997 par la ministre de l'Éducation, propose une gestion

Figure 3.3
GESTION CENTRÉE SUR L'ÉCOLE

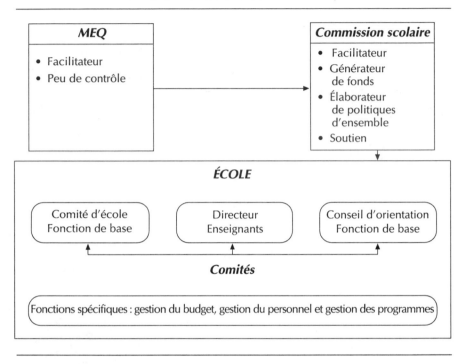

centrée sur l'école. Il lui donne plus d'autonomie et des pouvoirs importants afin qu'elle puisse prendre de vraies décisions pédagogiques, administratives et financières et qu'elle ait la capacité de les appliquer. Il prévoit le remplacement du comité d'école et du conseil d'orientation par le conseil d'établissement. Celui-ci est doté de pouvoirs reliés aux services éducatifs, aux ressources humaines, administratives et financières ainsi que des pouvoirs reliés à l'évaluation, au contrôle.

Ceux qui critiquent la décentralisation pensent que donner plus de pouvoir aux représentants de l'école, leur permettre de l'administrer à part entière, entraînerait une régression du sens des responsabilités et une perte totale du contrôle scolaire et budgétaire de la commission scolaire (Lindelow et Bentley, 1989). Le débat penche plutôt en faveur de ceux qui prônent la décentralisation. Ceux-ci sont convaincus que les directeurs et les représentants des acteurs scolaires sont prêts et ont la volonté d'assumer l'autorité, le pouvoir ainsi que les responsabilités liées aux tâches administratives.

Caractéristiques de la décentralisation « débureaucratisation »

La décentralisation tend à centrer les choses sur la personne : l'autorité découle du savoir-faire, des relations et de l'expertise. Elle met l'accent sur l'esprit d'initiative, la création, la recherche, l'innovation en même temps que sur l'efficacité. Elle est tournée vers l'obtention de résultats, de récompenses et vers des acquis nouveaux. Elle tend à rémunérer les contributions, la valeur ajoutée par une personne ou une équipe, indépendamment du rang hiérarchique formel. La diffusion de l'information, la multiplication des réseaux de communication de toutes sortes, entre acteurs à l'intérieur et à l'extérieur, sont autant de moyens de créer des opportunités. Pour la décentralisation, statuts et territoires ne sont que des points de départ pour l'invention de nouveaux modes d'action : les occasions naissent de l'aptitude à créer des relations entre territoires. Elle cherche des moyens d'action et d'expérimentation.

Différentes formes de gestion centrée sur l'école

Wohlstetter et Odden (1992), en faisant la revue de la recension des écrits sur l'usage de la gestion centrée sur l'école, arrivent à la conclusion suivante : la gestion centrée sur l'école est partout et n'est nulle part. Elle est partout, parce que les mécanismes sont en place pour son introduction dans les écoles. Elle n'est nulle part, car elle se présente sous une variété de formes et elle a rarement été mise en œuvre de façon adéquate. D'autres auteurs confirment le vif intérêt des précurseurs (Clune et White, 1988) et le peu d'applications réelles (Clune et White, 1988 ; Malen et Ogawa, 1988 ; Wohlstetter et Buffet, 1992). La proposition avancée est que la GCE doit être instaurée dans le contexte d'un système de reconception à grande échelle, étant donné qu'on ne doit pas la considérer comme un simple produit, ni un programme ou encore une pratique isolée, mais comme un élément d'un changement systémique (Mohrman *et al.*, 1992).

On peut retenir trois modèles de gestion centrée sur l'école. Le premier, selon Alarie (1993), est appelé « contrôle par la communauté ». Ce modèle préconise le transfert du pouvoir aux parents. Une école de Chicago qui a adopté ce modèle a procédé comme ceci : onze membres ont été élus au conseil de l'école, dont six parents, deux enseignants, deux représentants de la communauté ainsi que le directeur.

À Los Angeles et à New York, la GCE est aussi en vigueur, mais sous une autre forme. Le conseil mis en place donne la priorité aux enseignants en ce qui a trait aux décisions administratives, autrefois prises par l'administration centrale. Le nombre des membres varie entre six et seize, selon la grandeur de l'école. La moitié des sièges est réservée aux enseignants. Le représentant du syndicat et le directeur sont au nombre des membres.

Le troisième type de GCE tend à réserver au directeur la gestion de l'école. Celui-ci n'est aucunement tenu de créer un conseil d'école. Dans certaines écoles, le directeur est responsable du budget. La participation des enseignants et de la communauté est réduite à de simples consultations.

Avantages de la GCE

De façon générale, l'avantage le plus souvent mentionné est le fait que l'administration de l'école par des gens concernés favorise l'augmentation de la participation et l'implication de tous. Au fur et à mesure que l'autorité et la responsabilité conférées aux acteurs de l'école augmentent, leur responsabilité augmente aussi, de même que leur motivation et leur satisfaction au travail. En effet, presque tous les districts scolaires des États-Unis (Monroe County, Martin County, Fairfield-Suisun Unified, etc.) dont les écoles ont fait l'expérience de la GCE, expérience décrite par Lindelow et Bentley (1989), connaissent beaucoup de succès et une hausse des inscriptions des élèves. Ces derniers sont plus responsables, plus alertes et plus éveillés ainsi que le personnel scolaire. La communauté, quant à elle, est plus au courant des activités scolaires, des difficultés et des réussites de l'école et a surtout un sentiment d'appartenance doublé du sentiment de se voir responsable d'une institution comme l'école.

Il y a aussi un consensus rapide qui se dégage lors de la prise de décision, une acceptation plus facile des décisions prises et une coopération manifeste de la part des membres de la GCE pour mettre en œuvre ces décisions (Lindquist et Muriel, 1989 ; Murphy, 1991). De plus, la GCE est considérée comme un moyen de mettre à profit l'énergie créatrice des parents, des enseignants et des membres du milieu dans la recherche de solutions aux sérieux problèmes du système d'éducation. Elle contribue aussi à susciter ou à augmenter le professionnalisme des forces vives de l'école (Murphy, 1991). Cependant, en vue d'atteindre tous ces résultats, il faudrait changer en profondeur la nature même de l'école.

CONCLUSION

Au terme de ce chapitre, il est important d'en retracer les grandes lignes. Nous avons tout d'abord défini la gestion centrée sur l'école. Cette dernière est une organisation multiagent qui regroupe non seulement les éducateurs, mais aussi certains membres de la communauté qui s'intéressent à l'école. Mettre au point une GCE dans une école suppose que la commission scolaire y est favorable, puisque les administrateurs qui la composent doivent partager leur pouvoir et leur autorité avec le directeur d'école, « un subalterne », les enseignants, des membres du milieu. Cela suppose aussi que les cadres de la commission scolaire facilitent la mise sur pied de la GCE. Le directeur, investi de son pouvoir et de son autorité avec son équipe de partenaires, doit prendre de bonnes décisions à propos des programmes de l'école, du personnel et du budget.

Impliquer toutes ces catégories de personnes dans le processus de prise de décision dans une école ne fait que des heureux selon certains auteurs : l'efficacité augmente de part et d'autre. En outre, l'implication, la rationalisation, la résolution efficace des problèmes sont des leitmotivs de la communauté scolaire, leitmotivs qui vraisemblablement font des miracles ! Il reste à le prouver dans les écoles en optant pour la GCE. Et n'oublions pas : la GCE pour l'excellence de l'apprentissage !

| INSTRUMENTS | *Le chapitre 3 présente le concept de gestion centrée sur l'école, où les acteurs qui l'animent seraient investis d'un certain pouvoir décisionnel en ce qui concerne le budget, les programmes et le personnel de l'école.*

Jusqu'où peut-on décentraliser ? Les enseignants désirent-ils avoir plus de pouvoir ? Quel serait le niveau de participation des enseignants aux principaux aspects de la vie de l'école ?

Deux instruments sont proposés dans le cadre de la GCE. Le premier suggère des questions à se poser en rapport avec la décentralisation et le deuxième vise à aider les enseignants à établir leur niveau de participation en rapport avec les aspects de l'école qui les concernent.

DÉCENTRALISER LES POUVOIRS

[?] *Questions importantes à se poser :*

1. Dans le cadre de leur travail, quel niveau de contribution à la gestion de l'école est attendu du personnel enseignant ?

2. Quelle compétence l'organisation actuelle du travail exige-t-elle du personnel de l'école ?

3. Quel niveau de participation à la vie de l'école est demandé actuellement aux enseignants ?

4. Quelles sont les tâches et les activités des enseignants qui n'apportent pas quelque chose de plus à la réussite éducative ?

5. Les enseignants et les différents groupes de l'école désirent-ils avoir plus de pouvoir ?

6. Quelles sont les limites de la décentralisation du pouvoir vers les écoles ?

7. Comment les directions d'école réagiront-elles au fait d'augmenter le pouvoir de l'équipe-école ?

8. Comment est-il possible de prévenir la manipulation de certains groupes de l'équipe-école ?

9. Comment les groupes de travail fonctionneraient-ils dans une école ?

PARTICIPATION DES ENSEIGNANTS À LA GESTION DE L'ÉCOLE

Situez sur l'échelle votre participation aux principaux aspects de la vie de l'école :

A. PROGRAMMES

Actuellement, je considère ma participation au choix des manuels scolaires, à l'adaptation des programmes d'étude, à l'élaboration de programmes locaux, à la gestion de la classe... comme étant :

Très basse									Très élevée
1	2	3	4	5	6	7	8	9	10

Pour augmenter ma participation, j'aimerais donner mon opinion sur :

_____

J'aurais alors tendance à indiquer le numéro _____

B. ÉLÈVES

Actuellement, je considère ma participation au classement des élèves, au contenu du bulletin, au calendrier scolaire, à la surveillance des élèves et à la politique de la vie étudiante... comme étant :

Très basse									Très élevée
1	2	3	4	5	6	7	8	9	10

Pour augmenter ma participation, j'aimerais donner mon opinion sur :

_____

J'aurais alors tendance à indiquer le numéro _____

C. PERSONNEL DE L'ÉCOLE

Actuellement, je considère ma participation à la sélection, au perfectionnement, à la supervision, à l'évaluation du personnel... comme étant :

Très basse									Très élevée
1	2	3	4	5	6	7	8	9	10

Pour augmenter ma participation, j'aimerais donner mon opinion sur :

_____

J'aurais alors tendance à indiquer le numéro _____

D. FINANCES ET ÉQUIPEMENT DE L'ÉCOLE

Actuellement, je considère ma participation à la répartition du budget de l'école, au choix du matériel, des volumes, des ordinateurs... comme étant :

Très basse									Très élevée
1	2	3	4	5	6	7	8	9	10

Pour augmenter ma participation, j'aimerais donner mon opinion sur :

_____

J'aurais alors tendance à indiquer le numéro _____

E. RELATIONS AVEC LE MILIEU SCOLAIRE

Actuellement, je considère ma participation au conseil de mon établissement comme étant :

Très basse									Très élevée
1	2	3	4	5	6	7	8	9	10

Pour augmenter ma participation, j'aimerais donner mon opinion sur :

_____

J'aurais alors tendance à indiquer le numéro _____

F. MILIEU

Actuellement, je considère ma participation avec le milieu comme étant :

Très basse									*Très élevée*
1	2	3	4	5	6	7	8	9	10

Pour augmenter ma participation, j'aimerais donner mon opinion sur :

_____

J'aurais alors tendance à indiquer le numéro _____

BIBLIOGRAPHIE

ALARIE, J. (1993). *Peut-on appliquer la théorie Z dans nos organisations scolaires ?*, Travail de recherche inédit, Université du Québec à Trois-Rivières.

CANDOLI, I.C. (1995). *Site-Based Management in Education : How to Make it Work in your School*, Lancaster, Technomic Publishing Co. Inc.

CLUNE, W.H. et P.A. WHITE (1988). *School-Based Management : Institutional Variation, Implementation, and Issue for Further Research*, New Brunswick, Eagleton Institute of Politics, Center for Policy Research in Education.

CUBAN, L. (1990). « Reforming Again, Again, and Again », *Educational*, 19 (3), 3-13.

DAVID, J.L. (1990). « Restructuring in Progress : Lessons from Pioneering Districts », dans ELMORE, R.F. *et al.* (dir.), *Restructuring Schools : The Next Generation of Educational Reform*, San Francisco, Jossey-Bass Publishers.

DELATTRE, R. (1989). *Mobilisez vos collaborateurs*, Belgique, Éditions Marabout.

DROLET, B. (1992). « Before You Restructure », *Thrust for Educational Leadership*, 22 (2), 14-18.

KANTER, R.M. (1977). *Men and Women of the Corporation*, New York, Basic Book Inc.

LINDELOW, J. et S. BENTLEY (1989). « Team Management », dans SMITH, S.C. et PICKLE, K. (dir.), *School Leadership : Handbook for Excellence*, 2e édition, Eugène, ERIC Clearinghouse on Educational Management, College of Education, University of Oregon.

LINDELOW J. et J. HEYNDERICKY (1989). « School-Based Management », dans *School Leadership : Handbook for Survival*, 2e éd., Eugene, ERIC Clearing House on Educational Management, University of Oregon,

LINDQUIST, K.M. et J.J. MURIEL (1989). « School-Based Management : Doomed to Failure ? », *Education and Urban Society*, 21 (4), 403-416.

MALEN, B., R.T. OGAWA et J. DRANTZ (1989). *What Do We Know about School-Based Management ?*, A Case Study of the Literature : A Call for Research, Paper presented at the conference on choice on control in American Education, Madison, University of Wisconsin-Madison.

MALEN B. et R.T. OGAWA (1988). «Professional-Patron Influence on Site-Based Gouvernance Councils: A Confounding Case Study», *Educational Evaluation and Policy Analysis*, 10, 251-270.

MINTZBERG, H. (1986). *Le pouvoir dans les organisations*, Montréal, Agence d'Arc.

MOHRMAN, S.A., E.E. LAWLER et A.M. MOHRMAN (1992). «Applying Employee Involvement in Schools», *Educational Evaluation and Policy Analysis*, 14, 347-360.

MURPHY, J. (1990). *The Reform of American Public Education in the 1980's : Perspectives and Cases*, Berkeley, McCutchan.

MURPHY, J. (1991). *Restructuring School : Capturing and Assessing the Phenomena*, New York, Teachers College Press, Columbia University.

ODDEN, A. (1991). *Education Policy Implementation*, Albany, State University of New York Press.

ODDEN, A. et D. MARCH (1988). «How Comprehensive State Education Reform Can Improve Secondary Schools», *Phi Delta Kappan,* 69, 593-598.

ORSONI, J. (1990). *Management stratégique : la politique générale de l'entreprise*, Collection dirigée par HEELFER, J.P. et ORSONI, J., Paris, Librairie Vuibert.

PETERS, T. et R.H. WATERMAN (1982). *In Search of Excellence : Lesson from America's Best-Run Companies*, New York, Harper and Row.

PIERCE, L.C. (1980). «School-Based Management», Eugene, Oregon School Study Council, University of Oregon, *OSSS Bulletin Series*, ED 188 320.

WOHLSTETTER, P. et T. BUFFET (1992). «Decentralizing Dollars Under School-Based Management: Have Policies Changed?», *Educational Policy,* 6 (1), 35-54.

WOHLSTETTER, P. et A. ODDEN (1992). «Rethinking School-Based Management Policy and Research», *Educational Administration Quarterly*, 28, 529-549.

LA COLLÉGIALITÉ

Tout être organisé forme un ensemble, un système unique et clos, dont les parties se correspondent mutuellement et concourent à la même action définitive par une action réciproque. Aucune de ces parties ne peut changer sans que les autres ne changent aussi, et par conséquent chacune d'elles prises séparément indique et donne toutes les autres.

Georges CUVIER

INTRODUCTION

L'idée de management implique généralement l'idée de hiérarchie, de patron, une capacité à embrasser le pouvoir, à accepter d'exercer ce pouvoir sur autrui, à donner des ordres, à sanctionner, à récompenser, en termes brefs : à diriger. Il se pose parfois un problème éthique devant ce pouvoir, par respect des autres ou par crainte, ou un mélange des deux. Nombre de dirigeants n'ont pu atteindre l'excellence à cause de cet obstacle « moral ». Dans certains cas, il est complètement rédhibitoire, et dans d'autres, il peut se présenter avec plus de nuances ou selon des façons différentes. Mais si l'exercice du pouvoir est dangereux lorsqu'il ne soulève pas de questions, il est dangereux lorsqu'il en pose, et le refus de l'exercice du pouvoir est tout aussi dangereux, puisqu'il laisse le champ libre aux autres. Le vouloir diriger, comme le disent Korenblit et Layole, « s'appuie sur une philosophie de l'homme inégalitariste, qui crée et utilise les différences, qu'on le décide ou qu'on le constate, dans toute entreprise regroupant plusieurs personnes, il apparaît plus ou moins un meneur ; pour réagir rapidement, c'est-à-dire pour survivre, une organisation ne peut se passer d'un responsable, d'un chef qui assumera les décisions. »

Cependant, en accordant une attention critique et rétrospective à l'évolution intellectuelle, administrative, sociale et économique des écoles en Amérique du Nord, on se rend compte, comme Roland Barth (1991), que la plupart nécessitent une « métamorphose ». Depuis plus d'une décennie, les spécialistes de la question ont cherché à découvrir les causes de l'inefficacité des écoles, mais peu se sont intéressés à la relation entre les adultes au sein de l'école et à la façon dont l'esprit d'initiative, l'entraide, la confiance mutuelle et l'énergie que ceux-ci dégagent doivent être encouragés pour parvenir à l'excellence.

Par ailleurs, dans son rapport annuel sur l'état et les besoins de l'éducation en ce qui a trait au modèle de gestion en vigueur dans les écoles québécoises, le Conseil supérieur de l'éducation (CSE, 1993) dresse un bilan sévère de la gestion actuelle et du modèle qui l'inspire. On trouve dans les écoles une trop grande concentration des dirigeants chargés de l'administration des affaires courantes et ponctuelles ; de graves carences relatives à la vision prospective, au leadership de participation et à l'évaluation critique ; peu d'empressement à effectuer l'examen critique des actions et à évaluer les résultats obtenus. Les problèmes reliés à la collégialité pourraient avoir les causes suivantes :

– le système éducatif ne répond plus aux exigences de sa clientèle, il nécessite un changement et une nette amélioration ;
– les enseignants, surtout les nouveaux, manquent de soutien dans l'intégration professionnelle ;
– les enseignants vivent beaucoup d'isolement dans les écoles ;
– les enseignants ne sont pas impliqués dans les processus de décision ;
– les enseignants et les directeurs sont insatisfaits des systèmes d'évaluation en vigueur ;
– les enseignants ne savent que faire des évaluations formelles, car, selon eux, « l'évaluation formelle avilit plutôt que d'édifier ». Les enseignants éprouvent à leur égard des sentiments négatifs. La collégialité peut être une solution compensatoire, parce qu'elle met l'accent sur l'évaluation des pairs par les pairs.

Toutes ces considérations incitent à se pencher sur une des façons, parmi tant d'autres, d'améliorer la gestion des écoles en vue de l'excellence.

Ce chapitre rend compte de la façon dont le directeur d'école a à amener les adultes de son équipe, formée de types de personnalités différents, ayant des intérêts différents et parfois divergents, de formation et de cultures différentes, d'allégeances politiques différentes et même de milieux sociaux différents, à briser l'isolement dans lequel certains se trouvent, et à travailler ensemble afin de réaliser la mission commune de l'école, pour l'atteinte de l'excellence tant souhaitée. Cette façon de faire est communément nommée « collégialité ». La collégialité peut être considérée comme le remède à la plupart des maux décelés dans les écoles.

Tout d'abord, nous définirons la collégialité en relation avec la « congénialité », en mettant ensuite l'accent sur ses avantages dans un établissement scolaire. Puis, nous examinerons les précautions à prendre pour la mise en place du projet collégial, et suivront, enfin, le modèle d'implantation et la conclusion.

LA COLLÉGIALITÉ : À LA RECHERCHE D'UNE DÉFINITION

LA COLLÉGIALITÉ

Dans le vocabulaire du management, « collégialité » est un mot nouveau et n'a peut-être pas encore une connotation administrative. Ce mot est souvent utilisé dans le vocabulaire ecclésiastique et médical. On entend souvent dire « collège des évêques », « collège des médecins », mais rarement, « collège des administrateurs » ou « des enseignants ». Cependant, étant donné que le management est un art et que tout art a ses règles, définir ces dernières suppose de s'appuyer sur le peu d'explications théoriques disponibles, et surtout sur la pratique, car les concepts et les mots naissent souvent de celle-ci. Définir encore les règles de l'art du management de l'école suppose de travailler sur les constantes qui veulent mettre de l'avant l'élément suivant : une école bien établie pour l'atteinte de la qualité totale. La collégialité tient compte de ces constantes.

On constate que la collégialité, comme composante du management, fait peu à peu son apparition dans les organisations scolaires. Ce mot, difficile à définir, comme n'a pas manqué de le souligner Barth (1991), a suscité notre curiosité définitoire. Nous nous sommes donc livrés à un petit jeu afin de lui trouver un sens qui convienne. Il s'est tout simplement agi de découper le mot « collégialité », de l'écouter, de l'habiller. Cette méthode a acquis ses lettres de noblesse comme technique de recherche de définitions, de confrontation d'idées, de créativité : elle permet souvent de résoudre des problèmes conceptuels en faisant surgir des idées variées.

Qu'avons-nous pu trouver à partir du terme « collégialité » ? Tout d'abord, avant d'aller à l'étymologie – puisqu'il est toujours préférable de recourir à l'étymologie des mots, vu l'évolution de leur sens dans le temps – en laissant voguer nos idées, en faisant des associations de syllabes et finalement, en « cassant » le terme en deux, « collège » et « -alité », nous nous sommes retrouvés devant trois possibilités : collège et collègue, mots dénotés, et « colléguer », mot non dénoté.

Tout d'abord, le mot « collège » dérive du latin *collegium,* qui signifie groupement ou confrérie. Le *Petit Robert* définit le « collège » comme suit : « corps de personnes revêtues d'une dignité ou de fonctions sacrées » ou encore « établissement d'enseignement ».

Ensuite, le mot collègue signifie « personne officiellement nommée ou élue pour exercer des tâches en commun ».

Enfin, nous nous sommes dit que, bien que « colléguer » ne soit pas dénoté, en tenant compte du fait que le préfixe savant *co-*, d'origine latine, entre dans la composition du mot, nous pouvons le définir comme suit : « colléguer » : léguer avec ou encore se léguer mutuellement quelque chose, soit des connaissances, des aptitudes ou du pouvoir.

Au terme de notre démarche, nous définissons la collégialité comme suit :
- une confrérie de personnes qui sont des collègues regroupés en équipe,
- revêtues d'une dignité,
- se conférant des fonctions et responsabilités,
- et se léguant le pouvoir et l'autorité d'exercer ces fonctions.

Cependant, se fonder uniquement sur la pratique et les définitions qui s'apparentent au fait de léguer des connaissances, du pouvoir et de travailler en groupe ne suffit pas ; il nous faut aussi voir les définitions de divers auteurs qui se sont penchés sur ce terme.

Pour Barth (1988, 1991), la collégialité est un mot difficile à épeler, dur à prononcer, et encore plus difficile à définir. Selon lui, ce terme désigne une communauté de leaders, communauté dans laquelle on partage les mêmes croyances, les mêmes rites, les mêmes normes, les mêmes activités, en somme, la même vision. Edmonds (1979) donne de la collégialité les caractéristiques suivantes : fort leadership, développement des habiletés de base, capacité de fixer des buts et de les atteindre en équipe, de vérifier le progrès scolaire et de mettre de l'ordre dans son milieu. La collégialité est le fait que l'école est une communauté d'apprenants tout en n'ignorant pas que, lorsqu'on parle d'apprenants, on tient compte autant des élèves, des enseignants que du directeur d'école.

La collégialité est aussi désignée par le terme *team management* pour décrire la façon dont le personnel de l'école prend des décisions ensemble (Lindelow et Bentley, 1989). La collégialité ne doit pas s'appliquer seulement dans les écoles. On doit faire intervenir aussi les conseillers scolaires, les directeurs généraux, le personnel de la commission scolaire et les cadres moyens qui ont la responsabilité et l'autorité de participer au processus de prise de décision dans le système scolaire.

Selon Tjosvold et Tjosvold (1991), la collégialité va plus loin. Ouvert, le fait collégial amène le directeur d'école à intégrer ses enseignants issus de différentes cultures, de différents milieux et styles, individus qui ont des intérêts parfois divergents, qui doivent travailler ensemble pour l'accomplissement d'objectifs communs, dans une même optique.

La définition qui reflète le mieux ce fait collégial dans les écoles est celle de Judith Warren Little (1982), citée par Sergiovanni (1992). Pour cette auteure, la collégialité au sein de l'école a trait à quatre comportements spécifiques :

1. Enseignants et directeur s'intéressent à la pratique de l'enseignement et de l'apprentissage.

2. Ils s'engagent dans la pratique de l'enseignement et de l'administration.

3. Ils s'engagent dans la planification, la conception, la recherche et l'évaluation des programmes d'études.

4. Ils s'enseignent mutuellement ce qu'ils connaissent à propos de l'enseignement, de l'apprentissage et de la direction.

DÉFINITION DE LA COLLÉGIALITÉ

Des écrits des auteurs consultés, nous avons retenu les points suivants pour la définition opérationnelle de la collégialité. Dans la collégialité :

- enseignants et directeurs sont de bons professionnels ;
- sont des collègues ;
- forment une équipe ;
- s'écoutent mutuellement ;
- se font confiance ;
- s'enseignent réciproquement ;
- recherchent ensemble l'amélioration ;
- laissent place à l'erreur.

Les enseignants entre eux sont aussi de vrais collègues lorsqu'ils :

- travaillent ensemble ;
- discutent à propos des buts et objectifs ;
- coordonnent les leçons ;
- s'observent et critiquent réciproquement leur travail ;
- se partagent leurs succès, se consolent mutuellement en cas d'échec ;
- forment une famille dans laquelle la trahison, la concurrence, la solitude n'existent pas, mais une famille qui offre bon nombre d'avantages.

Somme toute, nous pouvons définir la collégialité comme, d'un côté, une culture qui amène le directeur d'école et ses enseignants à travailler avec un professionnalisme indéniable, à œuvrer ensemble comme collègues dans un esprit de famille, et surtout dans une équipe-école, tout en faisant montre d'une écoute et d'une confiance mutuelles, recherchant ainsi à être apprenants les uns des autres dans l'amélioration de leur potentiel, voire du potentiel de l'équipe tout entière. De l'autre côté, la collégialité est une culture qui amène les enseignants à se considérer comme de vrais collègues, travaillant ensemble en collaboration dans un esprit d'intégration, de succès collectif, sans concurrence ni trahison, mais dans une confiance absolue, mettant ainsi fin à l'isolement et aux échecs individuels. La collégialité est un paradoxe dans le management. C'est à la fois un renforcement et une négation de la philosophie de l'homme et de l'organisation. Une négation, à partir du moment où on prône le partage, l'échange, la collaboration entre pairs, et un renforcement à plus forte raison qu'il s'effectue dans la continuité de tout mode réaliste de management. Réprimer la collégialité consiste à nier ou refuser toute synergie.

Johnson (1990) a mis en lumière deux dimensions importantes à prendre en considération dans la définition de la collégialité : avoir de bons enseignants et une bonne culture d'école. Les bons enseignants discutent toujours à propos de tout ce qui a trait à leur succès et à leur bien-être réciproque. Une bonne culture scolaire privilégie les normes démocratiques par rapport aux normes administratives bureaucratiques ; met l'accent sur l'équipe, l'écoute et la confiance mutuelles, tout en éliminant au sein de l'école l'isolement et la formation de cliques d'amis. Il est important de noter que la notion de clique relève de la « congénialité ».

La « congénialité »

Il convient d'établir clairement la différence entre la collégialité et la congénialité. Dans la plupart des organisations scolaires, on rencontre ce que Barth (1991) appelle la « congénialité », concept qu'on a souvent tendance à confondre avec la collégialité. Sont congénères les personnes qui appartiennent à une même idéologie, qui travaillent à une même cause et qui s'assemblent dans la ressemblance. La congénialité émerge de l'accord de sentiment naturel et d'amitié qui existe entre les enseignants. Cette relation d'amitié est caractérisée par la loyauté, la confiance, la communauté d'idées, la complicité entre pairs, facteurs qui suscitent l'apparition de cliques ou de groupes d'amis formés sur la base d'affinités, excluant ainsi ceux qui ne sont pas « choisis », alors que dans la collégialité, personne ne choisit personne, tous étant collègues à part entière.

Lorsque la congénialité atteint un niveau élevé, une forte culture informelle favorisant la solitude, l'exclusion, émerge et empêche l'instauration de la collégialité (Barth, 1991 ; Sergiovanni, 1992). La congénialité est positive si on tient compte de l'accent qui y est mis sur les relations interpersonnelles de confiance, d'amitié et de loyauté. Cependant, l'absence de la congénialité n'entraîne pas automatiquement la collégialité. « Ce qui est important c'est le respect, c'est-à-dire, une confiance mutuelle dans les habiletés et intentions » (Sergiovanni, 1992 : 91).

POURQUOI LA COLLÉGIALITÉ?

LES CAUSES DE LA COLLÉGIALITÉ

Le chapitre précédent présentait l'organisation traditionnelle comme une structure pyramidale qui gère à la verticale. Les points saillants de cette organisation sont les suivants :

- du côté des supérieurs (directeurs) :
  - les directeurs font une pratique de gestion centralisée ;
  - il y a une hiérarchisation des tâches ;
  - la conception que les directeurs ont des enseignants est parfois caduque ;
  - les enseignants ne font plus confiance aux directeurs.
- du côté des enseignants :
  - les enseignants manquent de confiance en eux ;
  - ils ne sont pas unis ;
  - ils ne travaillent pas comme de vrais collègues ;
  - ils éprouvent de l'insécurité ;
  - ils résistent au changement ;
  - ils ont une perception négative de l'administration ;
  - ils acquièrent des habitudes de travail difficilement corrigibles.

Cet état de fait impose conséquemment un isolement structurel, tout en étant aussi à la base d'un isolement personnel volontaire. L'isolement est défini comme le fait d'être mis à l'écart de la vie de l'école. Dans plusieurs écoles, l'isolement est un facteur qui mine la culture organisationnelle. Selon les anthropologues, la culture est un concept fondamental dont on se sert pour expliquer les habitudes des gens et la façon dont ils modèlent leurs vies. C'est un concept global qui constitue la particularité d'une école. C'est l'ensemble des valeurs, des modes de vie, des attitudes, conceptions, règlements, politiques, attentes et normes qui régissent une école. Elle représente pour l'enseignant qui y est engagé, le guide social et psychologique auquel il doit se fier pour pouvoir fonctionner.

De ce point de vue, Weva (1994) explique qu'au fur et à mesure que l'individu s'intègre dans une école, ses collègues s'empressent de lui faire savoir ce qu'on attend de lui, ce qu'il est en droit d'attendre des autres, les comportements qu'il doit adopter ou ne pas adopter. Il apprend donc que, si ces exigences ne sont pas respectées, il pourrait encourir des sanctions. Par contre, s'il se conforme, cela pourrait lui valoir des récompenses telles que l'estime des autres, la reconnaissance, la renommée et la promotion. Adhérer aux valeurs communes, définies par un ensemble de règles, donne une certaine stabilité à l'individu et à l'école étant donné qu'il serait difficile sans cela de prévoir les comportements de chacun, raison pour laquelle la culture organisationnelle devrait être présentée et enseignée à chacun des enseignants de l'école, car elle est l'essence même de celle-ci. On remarque malheureusement que dans plusieurs écoles, l'intégration professionnelle des enseignants n'est pas chose commune. Selon Weva (1994), les facteurs d'intégration, tels que l'accueil, l'initiation, l'introduction, l'acclimatement, l'orientation, l'insertion et l'adaptation doivent faire partie de la vie de l'école. L'intégration professionnelle étant définie comme le fait « d'orienter le nouvel enseignant à son nouvel emploi afin de faciliter son insertion à la nouvelle culture organitionnelle. Cette insertion doit non seulement privilégier les exigences de l'organisation mais aussi considérer les besoins individuels de l'enseignant ». Si cette intégration est négligée ou encore mal réussie, l'enseignant ne pourra bien fonctionner dans l'école, ce qui provoque très souvent, une situation d'isolement. Cette dernière a pour conséquence la parcellisation du développement de l'élève, qui doit s'adapter à plusieurs visions différentes, étant donné qu'il n'y a pas de vision globale et partagée. L'isolement restreint, au sein de l'école, le nombre d'intrants dont dispose le système, dissipe la somme des énergies individuelles et ralentit le développement éducatif.

LES FONDEMENTS

Lorsqu'on parle de collégialité, on tient compte de certains postulats fondamentaux.

- La collégialité s'appuie sur la volonté des enseignants de performer. Cela signifie que :
  - les professionnels enseignants ont de plus en plus une formation qui les prépare au travail en équipe, à la discussion et aux prises de décisions collectives ;
  - ils sont de plus en plus portés vers l'idée d'« être gagnant plutôt que perdant » ;
  - les professionnels essaient de s'améliorer continuellement ;

- les professionnels cherchent à acquérir toutes les connaissances complémentaires à leur emploi ;
- les professionnels désirent ardemment partager leurs expériences avec leurs collègues ;
- les professionnels préfèrent de plus en plus la supervision pédagogique des pairs à celle du directeur.
- La collégialité s'appuie sur la capacité des enseignants à adopter le changement comme tremplin vers l'excellence. Cela dénote leur capacité :
  - de changer leur perception de ce que le directeur est par rapport à ce qu'ils pensent qu'il doit être ;
  - de changer leurs habitudes de travail ;
  - de s'interroger, de considérer et d'utiliser la critique comme un élément positif et favorable à l'épanouissement ;
  - de communiquer et de partager des responsabilités.
- La collégialité s'appuie sur la volonté des directeurs de transformer pour le mieux leur école. Cela signifie que le directeur a la capacité :
  - de considérer son personnel comme une communauté d'adultes responsables, capables d'atteindre les buts et objectifs définis ;
  - d'être un facilitateur et d'amener les enseignants à être des « autoleaders » ;
  - d'être garant des relations collégiales pendant toute la période du changement.

EFFETS DE LA COLLÉGIALITÉ

Bien que la collégialité soit difficile à instaurer dans une école (Barth, 1991), elle comporte beaucoup d'avantages. La collégialité étant une vertu professionnelle (Sergiovanni, 1992), plus elle est introduite au sein des écoles, plus grandes deviennent les connections naturelles entre les enseignants et le directeur, étant donné que les enseignants deviennent des autoleaders, ce qui rend moins nécessaire le leadership du directeur. Sergiovanni mentionne que l'avantage de la collégialité réside dans le fait qu'elle rend les conditions de travail excellentes, la culture organisationnelle enviable, la pratique des enseignants améliorée, les décisions prises avec les enseignants meilleures, l'application de ces décisions se fait dans de meilleures conditions et les résultats obtenus sont perçus comme meilleurs.

Dans le même ordre d'idées, Barth (1988) considère la collégialité comme un processus selon lequel les collègues se font mutuellement confiance et ont un niveau de satisfaction élevé. L'apprentissage se fait sans obstacles, avec beaucoup d'intérêt, d'énergie et surtout sur une base de coopération et de collaboration ; la motivation des collègues augmente, améliorant leur efficacité dans la même mesure ; les élèves sont eux aussi plus motivés et leurs résultats s'améliorent ; les élèves sont plus ouverts entre eux et coopèrent beaucoup plus. De leur côté, Rosenholz et Kyles (1984) trouvent que l'apprentissage est enrichi mais non appauvri, tant pour les enseignants que pour les enseignés. On peut regrouper les avantages en deux catégories.

Épanouissement personnel

- L'enseignant dit ce qu'il désire être. Cela est motivé par son engagement profond à « faire la différence ».
- L'enseignant a la liberté de choisir :
  - non pas des congénères, mais les collègues avec lesquels il travaille ;
  - son propre programme ;
  - ses sujets de discussion ;
  - la stratégie d'enseignement qu'il veut perfectionner.
- L'enseignant souffre moins d'isolement.
- La qualité de vie à l'école est améliorée, le climat est sain.
- Les problèmes que l'enseignant rencontre sont résolus en collégialité.
- Il a l'impression d'être écouté, de faire partie d'une équipe.
- La satisfaction est élevée et le rendement amélioré.

Épanouissement professionnel

- La collégialité :
  - développe l'esprit d'équipe ;
  - permet aux enseignants de se parler quotidiennement et de vivre une variété de situations et d'innovations utiles pour réussir leur travail ;
  - permet aux enseignants d'exprimer et de défendre leurs propres besoins et parfois ceux des collègues ;

- aide les enseignants à devenir plus productifs sans épuiser leurs ressources ;
- permet aux enseignants de partager leurs idées et leur matériel, de s'entraider, de se soutenir et surtout de réfléchir sur l'action éducative de l'ensemble des collègues ;
- permet aux enseignants d'avoir une action pédagogique plus réfléchie, de se fixer ensemble de nouveaux objectifs, d'améliorer les stratégies d'enseignement, de critiquer les observations et de les analyser profondément ;
- offre aux enseignants l'opportunité d'être au courant des nouvelles techniques, habiletés et connaissances, et d'apprendre à les intégrer à leur enseignement ;
- procure un soutien et donne des idées nouvelles en vue du changement ;
- donne l'occasion de faire le point sur des questions et des projets pédagogiques précis ;
- encourage les enseignants à croître sur le plan professionnel ;
- permet aux enseignants d'avoir une formation continue dans le but d'améliorer l'apprentissage des élèves ;
- offre aux enseignants des opportunités de travailler ensemble avec le directeur ;
- aide à développer le jugement et le discernement, autant chez les enseignants que chez le directeur ;
- permet au directeur d'exercer le « superleadership » et de participer aux discussions animées par les enseignants au cours des réunions ;
- est bénéfique pour les élèves, car l'apprentissage est amélioré.

– La collégialité est un processus qui prend beaucoup de temps, mais qui génère beaucoup de résultats gratifiants.

Exemples de collégialité dans quelques écoles

Dans certains milieux, les enseignants sont favorables à l'évaluation, mais pas à n'importe laquelle. Au lieu de l'évaluation traditionnelle, ils préfèrent un programme de soutien et de développement professionnel des équipes. Dans un tel programme, les administrateurs et les enseignants sont sur un pied d'égalité. Les éléments clés du programme sont le choix, le soutien, la stimulation, la confiance, la franchise, le respect du jugement des collègues.

Krovetz (1992) donne l'exemple d'une école où on a appliqué ce programme avec succès. Dans cette école, trente enseignants participent au programme et plusieurs d'entre eux font partie de plus d'une équipe. Le point important à noter est l'engagement total des participants dans l'entraînement des collègues pour la réussite individuelle et la réussite de l'équipe. Sur les trente enseignants participants quinze se sont occupés de l'évaluation des performances, de la participation aux ateliers, du partage du matériel et de l'observation des pairs. Six ont travaillé ensemble à la rédaction d'un guide pour le choix de carrière des élèves. Huit enseignants se sont intéressés à la façon d'incorporer l'apprentissage coopératif à leur répertoire d'enseignement, et quatre autres se sont employés à trouver des suggestions relatives aux habiletés d'écriture à utiliser dans le programme d'écriture. En effet, l'enseignement de ces enseignants a changé. On a remarqué aussi que les élèves sont devenus plus studieux au fur et à mesure que les enseignants les entretenaient. La culture de l'école s'est améliorée. La collégialité est devenue la norme et on est arrivé à trouver l'environnement collégial décrit par Barth (1991).

LES PARTENAIRES DANS LA COLLÉGIALITÉ

Parmi les typologies produites sur la culture des organisations, Alkin indique que dans les écoles où l'organisation sociale est basée sur des normes de collaboration et d'innovation, l'amélioration est assurée. Par contre, dans les écoles où la culture est basée sur l'isolement et l'individualisme, le changement est perçu comme un danger. Cette constatation suppose que l'école collégiale a besoin d'établir une collaboration, comme l'a si bien dit Krovetz (1992), entre le directeur, les enseignants et les élèves.

Le directeur

C'est à lui que revient le rôle clé dans l'établissement de la collégialité dans l'école. Soixante pour cent de ce qui arrive dans une école est fonction du leadership du directeur. Afin de favoriser une amélioration grandissante de toutes les composantes de son école, le directeur, tout en étant un spectateur, doit être avant tout un acteur perspicace, vigilant, attentif, actif, pragmatique, observateur et réalisateur. Il doit favoriser les interactions sociales, en d'autres termes, encourager la collégialité.

Grafft (1993 : 19), citant Little (1981) et Barth (1991), mesure l'importance de la collégialité dans une école en fonction de quatre comportements du directeur.

1. Le directeur fait connaître explicitement aux enseignants ses attentes quant à la collaboration. Il leur fait comprendre que c'est le but qu'il vise, le dit publiquement et le réaffirme régulièrement.

2. Le directeur est lui-même un modèle de collégialité, conjointement avec les autres partenaires, en collaborant à l'amélioration de l'école.

3. Le directeur encourage la collégialité en favorisant l'allègement des tâches, en mettant l'accent sur la reconnaissance, sur l'amélioration de l'espace de travail, sur la fourniture du matériel et des fonds aux enseignants engagés dans le processus.

4. Le directeur donne son appui total aux enseignants qui se font critiquer, de façon injustifiée, par les autres.

Les enseignants

On a souvent dit que la réussite scolaire est due en grande partie à l'implication du directeur, mais on oublie souvent que ce sont les enseignants qui en sont les acteurs, étant donné que la plus grande part de responsabilité leur revient. Ils sont des collaborateurs dont on ne peut pas se passer dans la collégialité.

Cependant, malgré les avantages de la collégialité pour la bonne marche de l'école, certaines barrières compliquent son instauration, ce qui commande une démarche particulière avant sa mise en place.

CONDITIONS POUR METTRE EN PLACE LA COLLÉGIALITÉ

ROMPRE AVEC LE STATU QUO

Le directeur doit être partisan de l'organisation intelligente. Celle-ci comporte quatre volets : la réflexion, l'élaboration des pistes d'action, la décision et la réalisation des actions. Organisateur intelligent, adepte de la collégialité, le directeur a tout d'abord à réfléchir sur l'état de son école. Observateur averti, il doit vérifier si le statu quo est bénéfique pour son école, si les actions menées donnent des résultats concluants et si ces résultats peuvent être améliorés. Cela l'amène à se demander si le processus peut être remis en question. Ensuite, il doit se poser la question de savoir quelles sont les diverses possibilités d'action qui lui permettront d'améliorer les résultats. Puis, il doit décider du choix de la meilleure solution, déterminer les raisons de ce choix et se demander si ce choix améliorera les résultats. Enfin, il doit se demander si les enseignants sont prêts, et comment l'action peut être évaluée.

Dans les écoles, on rencontre généralement trois types de tendances chez les directeurs. La première est représentée par les solitaires, qui travaillent seuls et qui pensent qu'ils sont capables seuls de faire un travail parfait et efficace. Ceux-là n'éprouvent jamais le besoin de discuter avec leurs pairs et encore moins avec les subalternes. Ils n'ont confiance qu'en leurs habiletés et capacités et ils protestent quand les autres s'immiscent dans leurs affaires. Ils gèrent l'organisation à leur manière et pratiquent la direction verticale. La deuxième tendance est représentée par ces directeurs qui sont toujours en compétition avec leurs collègues et subordonnés. Ces derniers constituent une menace pour eux. Dans leurs écoles, il n'y a pas de place pour la confiance. Ils proposent des solutions aux problèmes scolaires aux autres membres et les forcent à les accepter, car ils s'imposent comme des gagnants et non des perdants. La troisième tendance est celle des partisans du partage du pouvoir et du travail en équipe. Ceux-là s'impliquent et aident les pairs et subordonnés à s'impliquer, eux aussi, dans la cause commune.

Afin d'instaurer sans difficulté la collégialité dans son école, le directeur est convié à rompre avec le statu quo. Le Conseil supérieur de l'éducation (1993) constate que la gestion scolaire semble encore trop empreinte d'un pouvoir teinté d'absolutisme, où les directions acceptent peu de partager les décisions selon la compétence de chaque membre. On comprend très bien les préoccupations du Conseil à la lecture de ces quelques lignes : « Le constat portant sur le caractère contraignant du cadre d'exercice de la gestion révèle, plus fondamentalement, l'excès de centralisation au sein du système d'éducation. À cet égard, on note que la centralisation n'est pas que le leitmotiv des administrations nationales, mais qu'elle caractérise aussi les pratiques de gestion locales » (CSE,

1993 : 18). La collégialité conduirait inévitablement le directeur à opter pour un changement systématique dans sa gestion, à être favorable au fait collégial, à être convaincu de son bien-fondé, à être prêt à défier l'inconnu et à collaborer avec ses enseignants.

SONDER LE TERRAIN

L'administrateur qui veut former une équipe de collègues doit essayer, après rupture avec les pratiques de gestion traditionnelles, de sonder le terrain pour avoir l'opinion des partenaires potentiels sur leur conception du projet et du style de leadership à adopter. Cette démarche peut se faire au cours d'une discussion ou encore à la suite de l'observation des collaborateurs au travail. Chacun émet donc son point de vue ou montre clairement, par des gestes concrets, ce à quoi il s'attend de la part du directeur et de l'équipe.

TENIR COMPTE DES BARRIÈRES

Dans son analyse du monde du travail scolaire, Johnson (1990) arrive à la conclusion que les barrières ou obstacles à la mise en œuvre de la collégialité sont structurels et liés à l'attitude des acteurs. Former une équipe de collègues suppose de tenir compte, d'une part, des éléments structuraux comme l'espace de travail, le plan de travail, le temps imparti pour l'accomplissement du travail. Former une équipe de collègues suppose de tenir compte, d'autre part, d'aspects sociaux comme la vision, l'engagement, l'union, la confiance, le dépassement de soi, le don de soi, l'efficacité, les différences, etc.

Or souvent, la culture des écoles ne favorise pas l'émergence de ces caractéristiques, étant donné que cette culture est un amalgame de plusieurs cultures façonnées par des individus issus de toutes les couches de la société, avec leur baggage propre. Cette disparité est souvent à l'origine des barrières auxquelles on fait face lors de la création d'une équipe collégiale dans une organisation, barrières dont il sera question dans les lignes qui suivent.

L'espace matériel

On constate très souvent, surtout dans les écoles primaires et secondaires, que les enseignants se plaignent de l'espace de travail qui leur est réservé.

Ils n'ont pas de bureau ou de place appropriée pour se regrouper en équipe selon leurs affinités, sans empiéter sur le programme de rencontres d'autres enseignants. Dans certaines écoles, il y a une seule salle pour tous les enseignants et, pour comble de malheur, elle est bien souvent très petite. L'introduction de la collégialité dans une école nécessite un milieu de travail propice aux regroupements, à l'échange. Les salles de classe dont les titulaires disposent ne sont pas des endroits idéaux pour des rencontres, étant donné que le mobilier n'est pas approprié pour les adultes, surtout à l'école primaire. Liberman et Miller (1984) sont d'avis que pour plusieurs enseignants, enseigner est vraiment un travail solitaire. Avec tant de gens engagés dans une mission commune, qui travaillent dans un espace restreint, et qui ne disposent que de peu de temps, on ne peut se surprendre de la solitude, de l'isolement, qu'expérimentent les enseignants, et c'est ce qui les amène souvent, et surtout les nouveaux, à l'épuisement professionnel (*burn-out*).

Plan et temps de travail

Pour Johnson (1990), l'un des principaux obstacles à la collégialité est la pauvreté et la rigidité du plan de travail conçu pour les écoles. La façon dont l'emploi du temps est généralement envisagé dans les écoles ne laisse pas d'ouverture pour la collégialité. Le plan de travail est aménagé de telle sorte que les rencontres entre enseignants pour discuter à propos des programmes, des leçons, des problèmes sont quasi absentes. Le temps dont ceux-ci disposent dans leur journée de travail est consacré à la préparation des cours, à l'enseignement, aux problèmes des élèves et à la supervision. Peu d'enseignants arrivent à trouver plus d'une heure de temps libre dans leur journée de travail, tellement ils en manquent pour la préparation des leçons, des notes de service et de la consultation avec les élèves. Pourtant, les enseignants disent éprouver un fort besoin de se rencontrer régulièrement (Fullan et Connelly, 1987). Ces barrières peuvent disparaître si l'administrateur décide de : permettre aux enseignants de se rencontrer souvent et de discuter en mettant à leur disposition des locaux appropriés ; coordonner l'emploi du temps de chaque enseignant pour lui donner l'occasion de rencontrer les autres, d'interagir et de coopérer avec eux ; modifier l'emploi du temps et l'envergure des tâches d'enseignement pour permettre la réflexion, le partage et l'amélioration de la pratique de l'enseignement et l'autoleadership (Johnson, 1990).

La culture de l'école

Pour Sergiovanni (1992), la culture de l'école et la collégialité sont liées. À partir du moment où dans une école les enseignants parlent du « bien » de l'école, de la façon dont ils peuvent s'épauler, travailler ensemble, apprendre l'un de l'autre, se réjouir du succès des autres, il y a lieu de parler d'esprit collégial (Johnson, 1990). Généralement, la culture des écoles est basée sur des tendances d'isolement, l'absence d'intimité et la non-confiance, ce qui provoque la compétition, la peur de l'autre, la peur de l'échec, la peur de se voir dévoiler ses défauts, de se voir critiquer et nuit à l'ouverture d'esprit, à l'échange entre pairs, à la coopération et à la réalisation de soi (Rosenholtz et Kyles, 1984).

Les travailleurs solitaires

Les travailleurs solitaires sont un obstacle à une bonne culture scolaire. On trouve parmi eux ceux qui n'aiment pas le travail en équipe tout court et ceux qui y sont favorables, mais qui n'arrivent pas à communiquer en équipe. Les premiers ont un sentiment de domination, la sensation d'être des gagnants. Ils n'aiment pas se faire contredire, se voir ou même s'avouer vaincus. Ils ont toujours raison et sont sûrs de leurs actions. Le deuxième groupe est sujet à des problèmes psychologiques et, ayant peur de le montrer au grand jour, se protège dans le refus de travailler en équipe.

Absence de confiance

On observe de plus en plus un manque évident de confiance chez les enseignants et les directeurs des écoles. Les équipes de travail, qui se constituent généralement par affinités, par champs d'intérêt et parfois par complémentarité, se défont très facilement et rapidement, sans causer beaucoup de dommages ni de heurts. La raison probable en est l'absence de confiance en soi, en l'autre et en ce que l'on fait. Il arrive fréquemment qu'au sein d'une même commission scolaire, certains directeurs n'aient pas confiance en leurs confrères, en leurs enseignants, et les enseignants eux-mêmes en leur directeur et en leurs pairs. Le résultat le plus négatif est la perte de confiance de ces acteurs scolaires en eux-mêmes, en leurs capacités propres et en celles des collègues. Un étudiant de l'université Harvard, nous dit Barth, a fait les constatations suivantes sur le climat dans lequel travaillent les enseignants d'une école secondaire des États-Unis qui traversent une crise de confiance : climat de grief et de malaise ; quasi-absence de confiance en l'administration et aux enseignants eux-mêmes ; impression de désunion, de solitude et de ségrégation ; absence d'aide, sentiment d'être laissé pour compte, d'être piégé au travail ; absence d'échanges entre les membres du personnel et sentiment de frustration par rapport aux exigences du travail (Barth, 1991).

Adversité

Dans les écoles, il arrive fréquemment que le directeur, averti que d'autres mènent des projets sur des axes de développement intéressants et particuliers, entreprennent parallèlement les mêmes projets. C'est ce que Barth (1991) appelle « le jeu parallèle ». Parfois, ce sont des enseignants qui conçoivent des stratégies pour influencer le domaine des autres, ou encore dénigrer ce que leurs collègues entreprennent. Le jeu parallèle a pour conséquence l'isolement par rapport aux autres, avec qui l'on pourrait arriver à réaliser des projets grandioses.

SAVOIR DÉTERMINER LA PERSONNALITÉ DES COLLÈGUES

La collégialité s'appuie sur une hypothèse implicite : tout membre d'une organisation qui par nature est enclin à l'excellence est supposé être acquis à l'idée de la collégialité. Cependant, même si l'essentiel des conditions nécessaires est réuni pour ce projet, l'administrateur verra apparaître des réactions négatives de la part des futurs coéquipiers aux propositions concernant la formation d'une équipe de collègues. Nous pouvons parler de « psychologie » du collaborateur, mais il est nécessaire de ne pas oublier que cette psychologie est liée au milieu de travail et, surtout, au type de relation entre l'administrateur et ses employés.

Selon Korenblit et Layole (1986), devant une tel projet, le personnel se divise en trois grands types :

- ceux qui sont preneurs,
- ceux qui demandent à voir,
- ceux qui résistent.

On peut encore les subdiviser en onze sous-catégories (figure 4.1).

Figure 4.1
PORTRAIT DES COLLABORATEURS

Source : Adaptée de Korenblit, P. et G. Layole (1986). *Savoir déléguer*, Paris, Les Éditions d'Organisation.

Ces réactions qui décrivent les attitudes du personnel sont, de façon générale, rencontrées dans les organisations et elles peuvent faire l'objet des comportements des collègues. Voici les problèmes spécifiques inhérents à chaque type d'attitude que l'administrateur peut rencontrer.

Les preneurs

On les prend parfois pour les cas les plus favorables, mais ce ne sont pas les plus faciles à gérer. On en retrouve cinq types :

Le « putschiste »

C'est l'homme des « coups » qui ne cherche pas à réformer mais qui court-circuite et qui aime voler le pouvoir. Il prend rapidement son parti des insuffisances de l'administrateur. Aventurier dans l'âme, le pouvoir ne l'intéresse que s'il l'usurpe.

Le « plus royaliste que le roi »

Désagréable, il est perfectionniste et renvoie toujours l'administrateur à ses propres insuffisances. On ne fait jamais assez bien à ses yeux. Il amplifie souvent les critiques des autres membres de l'équipe, mais ses excès le désolidarisent du groupe.

Le « prosélyte »

Il est toujours d'accord sur tous les points. Il signe des quatre mains ! Il épaule, soutient dans toute occasion et appelle même à l'ordre les autres de l'équipe qui peuvent aller jusqu'à le désavouer s'ils trouvent qu'il exagère. Il est apparemment positif et bien réconfortant pour l'administrateur. Avec un peu de machiavélisme, il peut servir de « ballon d'essai » pour tester la réaction de l'équipe-école aux propositions du directeur.

Le « pionnier »

Dynamique et sympathique, il s'enthousiasme volontiers pour tout ce qui sort de l'ordinaire. Il est favorable à la prise d'initiatives personnelles et sort souvent des sentiers battus. Solitaire, il se charge avec empressement des missions délicates et pleines de risques, mais se préoccupe assez peu des autres.

La « locomotive »

Il est un leader, un collaborateur fidèle qui serait pour peu le type de collaborateur idéal. Convaincu, il entraîne au travail tous les membres de l'équipe. En réunion, en face d'incertitudes, l'équipe sollicite son avis, et d'habitude c'est lui qui détermine le climat du travail, mais ne se met jamais au premier plan.

Ceux qui demandent à voir

Ils se classent dans la catégorie des gens qui souhaitent des changements, qui veulent qu'on pose des gestes concrets, mais qui ne sont pas prêts à payer le prix du changement. Ils attendent que les actions se fassent par les autres. Trois types de personnes se classent dans cette catégorie.

Le « négociateur »

Comme son nom l'indique, il négocie, pose ses conditions, se sécurise par des contrats et se protège de l'incertitude que génère en lui tout changement. Il ne veut « rien sans rien ».

Le « suiveur »

Nonchalant, il est pour le suivisme. Il se met à l'œuvre quand tout est prêt, mais il est très important de lui accorder de l'attention car il fait partie de la majorité silencieuse.

Le « sceptique »

Incrédule, pessimiste, il « demande à voir ». Il ressemble à « Thomas ». Mais au fond de lui-même, il se défend de son envie d'y croire.

Les résistants

Ils ressemblent beaucoup aux « demandeurs », mais témoignent d'une hostilité ouverte au changement. Selon Korenblit et Layole (1986), plus de 20 % de personnes constituent dans toute organisation une menace certaine au changement. On rencontre trois types de résistants.

Le « vacciné »

Il est majeur, a tout tenté, tout vu, connaît tout, n'a plus besoin de changement. Il se retrouve le plus souvent parmi les anciens.

Le « pas payé pour »

C'est celui qui ne se sent pas concerné par quelque activité qui ne soit indiquée clairement, et de façon non équivoque, dans la nomenclature des tâches qu'il doit accomplir. C'est en général l'individu à cheval sur les principes syndicaux.

L'« anti »

Crainte démesurée, hostilité systématique, inertie incurable, il y a mille explications possibles à son refus de s'engager.

En somme, plusieurs de ces types d'individus peuvent se retrouver dans l'équipe du directeur. Il lui incombe de savoir faire ses choix et d'établir avec eux des modes de collaboration appropriés.

INVITER LES COLLÈGUES À L'ADHÉSION VOLONTAIRE

Une fois que le directeur a identifié ses collaborateurs potentiels, lui même convaincu de l'importance de la collégialité, il doit faire prendre conscience aux enseignants de la nécessité de la recherche de l'excellence par le biais d'un projet collégial. C'est un travail de longue haleine qui demande beaucoup de patience, de persévérance et de tact.

PROCESSUS DE LA COLLÉGIALITÉ

Pour implanter la collégialité avec succès dans une école, il est important de respecter les principes proposés sous forme d'un modèle (figure 4.2).

Figure 4.2
MODÈLE D'IMPLANTATION DE LA COLLÉGIALITÉ DANS UNE ÉCOLE

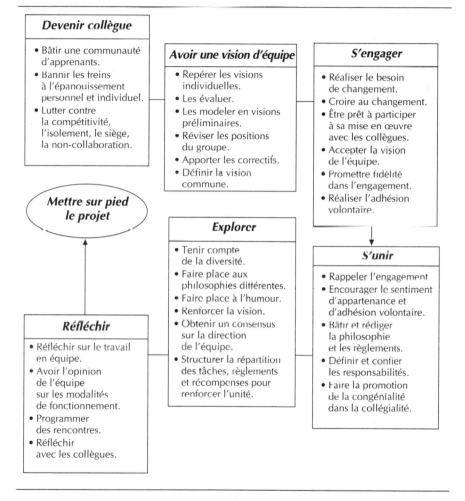

DEVENIR COLLÈGUES

Pour Sergiovanni (1992), la collégialité est une vertu professionnelle. Cette vertu implique deux dimensions majeures. La première rend compte de l'accomplissement des obligations qui incombent aux enseignants en tant que membres de l'école, en tant qu'enseignants et en tant que membres du milieu. La deuxième, pivot de la réussite professionnelle, est psychologique et réfère au fait de bâtir une communauté d'apprenants sur des relations solides.

La notion d'école comme communauté d'apprenants s'accompagne d'une démarche psychologique personnelle proposée par Barth (1991 : 33) et appuyée par les questions suivantes que tout membre de l'équipe-école devrait se poser.

- Comment pouvons-nous dépasser les tabous qui empêchent les enseignants de se réaliser et d'acquérir une meilleure visibilité de leur l'équipe et d'eux-même ?
- Comment le directeur peut-il devenir un apprenant actif, lorsqu'apprendre des autres est associé à l'insuffisance culturelle ?
- Comment les élèves peuvent-ils apprendre à travailler en coopération plutôt qu'en compétition ?
- Comment éliminer l'isolement des collègues, les cloîtres, le climat de compétition, les obstacles à la visibilité de l'équipe, à la réussite de soi et des autres, en d'autres termes ce que Barth appelle les « caves non continues » ?
- Comment amener chacun des collègues à se dire : « je ne veux pas me soustraire à mes obligations professionnelles, je veux faire à la perfection tout ce que j'entreprends avec les autres » (Barth, 1991 : 33).

L'école, comme communauté d'apprenants, est un lieu où on parle de l'accomplissement des élèves, du leadership des enseignants, de la réalisation professionnelle des directeurs et où tout le monde enseigne et apprend : les enseignants sont convaincus d'être non seulement enseignants, mais aussi apprenants ; le directeur partage également cette conviction. C'est en somme une école où tout ce qui est entrepris contribue à la réalisation d'objectifs communs.

Le directeur joue un rôle important dans ce contexte. Loin d'être considéré comme une entité spectatrice et passive, il est plutôt un apprenant engagé dans l'action collégiale qui a la tâche de modeler la façon dont il veut que les enseignants se comportent et ceci conformément à la vision commune.

AVOIR UNE VISION D'ÉQUIPE

L'administrateur et les enseignants doivent définir ensemble une vision commune à partir des visions individuelles. Souvent, les membres de l'équipe-école n'ont pas la même vision. Si l'on posait la question aux éducateurs sur leur vision de l'école, on serait en présence de réponses comme celles-ci : « lorsque je quitterai cette école, j'aimerais qu'on se souvienne de moi pour… j'aimerais que l'école soit un lieu de rigueur, de discipline de travail, de développement d'aptitudes, de réalisation personnelle, d'amitié… j'aimerais que l'école soit un milieu où les élèves communiquent entre eux, etc. » Chaque éducateur a sa vision personnelle mais cette vision est influencée par les attentes des autres et par la culture de l'école. On constate par ces acceptions que, généralement, la vision personnelle des éducateurs a trait à leur conception de ce que l'école signifie pour eux, de leur mission première, de leurs valeurs fondamentales, de la façon dont ils se ressemblent et s'assemblent et de la façon dont le directeur s'adapte à l'équipe-école (Sergiovanni, 1992).

Pour Barth (1991), instaurer une bonne école ne devrait pas être une prescription pour les autres, mais un rêve pour soi. Ce rêve doit avoir trait aux valeurs suivantes :

- créer une vision administrative qui considère les enseignants comme de vrais professionnels (Conley et Bacharach, 1990) ;
- créer un climat qui favorise l'autonomie et la solidarité ;
- bâtir une équipe d'apprenants ;
- prendre des risques : l'école doit favoriser la prise de risques et mettre en place un filet qui protège ceux qui prennent des risques. Des études ont prouvé que la prise de risques est hautement associée à l'apprentissage et à l'acquisition de connaissances ;
- respecter la diversité : une bonne école doit favoriser le respect des différences entre les peuples ;
- laisser la place à l'humour ;
- bâtir une communauté de leaders.

Afin de mettre en place la vision de l'équipe, le directeur doit :

- repérer les visions individuelles ;
- les évaluer ;
- les modeler en visions préliminaires ;

- réviser les positions du groupe sur les visions préliminaires retenues ;
- apporter les correctifs ;
- définir la vision commune, en amenant l'équipe à un engagement.

S'ENGAGER

L'école où se vit la collégialité est celle où chaque membre a choisi de travailler avec les autres en équipe. Ce choix tient compte de l'engagement. S'engager, c'est refuser de jouer le rôle de spectateur dans une équipe-école. C'est se sentir solidaire des membres de l'équipe pour la mise en œuvre de projets. L'éducateur engagé doit se dire : chacun fait ce qu'il pense être le mieux non pas pour lui, mais pour l'équipe. L'engagement commande cette démarche :

- je sens et je réalise le besoin de changement ;
- j'y crois fermement ;
- je suis prêt à participer à la mise en œuvre du changement avec mes collègues ;
- j'accepte la vision de l'équipe ;
- je me mets au travail pour qu'elle soit réalisée.

S'UNIR

L'union est un élément très important dans la collégialité. Elle permet aux membres de l'équipe-école d'être ensemble et de se faire mutuellement confiance. L'union facilite le respect de la diversité. Pour Barth (1991), une école qui met de l'avant la collégialité unit ses membres, fait la promotion de la diversité comme une valeur positive pour l'équipe et une occasion de favoriser l'apprentissage. Le directeur doit :

- explorer la vision de l'équipe ;
- rappeler l'engagement ;
- encourager le sentiment d'appartenance et d'adhésion volontaire ;
- définir les responsabilités de chaque collègue, en tenant compte de compétences, en vue de l'atteinte d'un même but ;
- bâtir et rédiger la philosophie de l'équipe et les règlements à suivre ;
- faire la promotion de l'apprentissage réciproque ;

- préciser les normes de performance de chacun et du groupe ;
- encourager la productivité individuelle et collective ;
- faire la promotion de la « congénialité » dans la collégialité.

EXPLORER

Former une équipe de collègues n'est pas chose facile. Les éducateurs qui se sont engagés dans l'action commune doivent alors à cette étape-ci :

- tenir compte de la diversité des collègues : il est probable que ces collègues qui sont différents selon leurs antécédents, leur culture, leurs opinions et leurs responsabilités soient en désaccord ; le directeur doit les comprendre et les intégrer à l'équipe ;
- encourager différentes philosophies : cela favorise la diversité des points de vue dans un projet collégial ;
- faire place à l'humour : l'école doit favoriser un climat détendu, qui peut être agréable à vivre ;
- discuter des points de vue des membres de l'équipe pour renforcer la vision commune et travailler dans l'unité ;
- parvenir à un consensus sur la direction de l'équipe ;
- structurer les tâches, les récompenses et les règlements pour renforcer l'unité.

RÉFLÉCHIR : COMMENT S'AMÉLIORER ?

Deux choix s'offrent aux collègues après avoir décidé de la façon de prendre les décisions. Ils peuvent s'engager ensemble dans la vision commune, être plus unis et explorer de nouvelles possibilités ou se contenter de miner la mission et de s'enfermer dans leur individualisme. Choisir la première option, c'est accepter les points suivants :

- réfléchir sur la façon dont ils doivent travailler ensemble ;
- faire la collecte des données (questionnaires, table ronde) pour avoir l'opinion de l'équipe sur la vision et l'unité du groupe, sur le pouvoir à acquérir, sur la conception et l'amélioration de l'équipe ;
- prévoir des rencontres des membres de l'équipe pour discuter des trouvailles de chacun ;

- essayer de connaître les perspectives réciproques. Cette façon de procéder permet d'analyser les problèmes et de trouver des solutions dans l'intérêt de tous. Les membres cessent ainsi de défendre leurs propres points de vue et sont plus aptes à comprendre la position et les arguments des autres;
- reconnaître l'utilité de la résolution de conflit;
- être ferme dans la résolution des problèmes et flexible par rapport à la façon dont ces solutions doivent être apportées;
- faciliter la rétroaction et les discussions à propos des relations interpersonnelles;
- viser l'amélioration continue;
- faire des ajustements et apporter des correctifs;
- « refléter » les collègues : c'est le point culminant du projet. Une fois que l'équipe aura atteint ce stade, la collégialité sera instaurée sans difficulté, car chacun sera une lumière pour l'autre, un reflet de l'autre et par ricochet, un reflet pour l'équipe.

MISE EN APPLICATION DE LA COLLÉGIALITÉ

Nous arrivons à la dernière phase en supposant que toutes les embûches auxquelles le directeur doit faire face ont été éliminées ou contournées. À partir du moment où les points essentiels énumérés dans le modèle sont compris et acceptés par l'équipe collégiale, tout projet peut être réalisé en collégialité. On peut alors parler d'école collégiale. Cette dernière doit avoir les caractéristiques suivantes énumérées par Desjardins (1994 : 43) :

- Le leadership exercé en collégialité est partagé au sein du personnel, il n'appartient pas en exclusivité à la direction.
- Les responsabilités impliquant des décisions sur la vie pédagogique peuvent être partagées entre les membres du personnel de l'école. De fait, c'est l'expertise pédagogique de chacun qui fait autorité en la situation, cette autorité (à caractère organique) ayant préséance sur l'autorité hiérarchique (à caractère mécaniste ou administrative) lorsqu'elle concerne le projet pédagogique de l'école.
- Les membres du personnel enseignant qui auront à subir les conséquences d'une décision directement liée à l'exercice de leurs fonctions pédagogiques participent au processus de cette prise de décision, par l'entremise de représentants.

- Les décisions sont prises le plus près possible du lieu pédagogique où se passe l'action.
- Surtout, le processus de mise en application des décisions de nature à affecter le personnel enseignant dans l'exercice de ses fonctions est préalablement déterminé de façon démocratique.

CONCLUSION

Ce chapitre a permis de définir la collégialité comme le fait de regrouper dans une équipe des professionnels appelés collègues, apprenant les uns des autres et travaillant ensemble dans le but de faire de leur milieu de travail une école excellente. De plus, la collégialité, prise comme une vertu professionnelle, offre de nombreux avantages sur le plan social et académique. Cependant, malgré ces avantages, l'introduction dans les écoles de cette vertu professionnelle rencontre des obstacles que l'administrateur est tenu de contourner. On se rend compte que l'espace matériel non adapté, le manque de temps, la culture organisationnelle malsaine de l'école sont à l'origine de l'entretien de mauvaises relations entre les collègues, de la non-réalisation de soi et de freins à l'atteinte des objectifs de l'école.

Anéantir ces obstacles signifierait créer une communauté d'apprenants où tous sont non seulement en apprentissage, mais aussi à l'écoute des autres. Anéantir ces obstacles signifierait encore modeler une vision d'équipe, unir les membres de l'équipe autour de cette vision, obtenir leur engagement ferme à mener à bon port cette vision, explorer les possibilités de réussite et enfin, réfléchir sur la manière dont le travail en équipe doit être développé et sur les procédures qui faciliteront la rétroaction et les discussions à propos des relations et des conflits de l'équipe, afin que chaque membre en soit le reflet.

INSTRUMENT *Le chapitre 4 présente la collégialité comme une composante du management. Elle repose sur l'importance de regrouper des collègues de travail en équipe et surtout d'assurer entre eux un partage de croyances et d'une vision commune. La collégialité permet à un groupe de former une équipe authentique capable de haute performance.*

L'instrument proposé peut aider les membres d'une équipe-école à établir un profil de leur équipe en regard d'éléments de collégialité.

Pour interpréter le questionnaire d'évaluation de la collégialité dans une équipe-école :

1. *Identifier, pour chacun des énoncés, le nombre d'espaces entre les deux chiffres encerclés.*

   Exemple : ⑤ 4 3 2 1 5 4 3 2 ①

   (8 espaces entre les chiffres encerclés)

2. *Lorsque le nombre d'espaces pour l'une ou l'autre des caractéristiques est de 6 et + vous pouvez considérer qu'il y a un fort besoin d'amélioration au regard de cet énoncé.*

———————————————

————————

PROFIL D'UNE ÉQUIPE-ÉCOLE
TRAVAILLANT EN COLLÉGIALITÉ

IMPORTANCE ET SATISFACTION

Pour chacun des aspects reliés à votre travail, vous avez à effectuer deux jugements :

1. Vous évaluez le niveau d'importance des caractéristiques présentées en encerclant un chiffre de 5 à 1 :

5 = très important	4 = important	3 = un peu important
2 = très peu important	1 = pas important	

2. Vous indiquez votre degré de satisfaction par rapport à ces caractéristiques dans votre emploi en encerclant un chiffre de 5 à 1 :

5 = très satisfait	4 = plutôt satisfait	3 = modérément satisfait
2 = un peu satisfait	1 = pas du tout satisfait	

	Importance	Satisfaction
1. Dans mon école, les membres du personnel se font mutuellement confiance.	5 4 3 2 1	5 4 3 2 1
2. J'ai souvent l'occasion de travailler en équipe avec mes collègues.	5 4 3 2 1	5 4 3 2 1
3. Les objectifs pédagogiques, dans mon école, sont fixés par les membres de l'équipe-école.	5 4 3 2 1	5 4 3 2 1
4. Je me sens individuellement et conjointement responsable du travail collectif.	5 4 3 2 1	5 4 3 2 1
5. Les membres de notre équipe ont l'occasion de s'observer et de se critiquer réciproquement au travail.	5 4 3 2 1	5 4 3 2 1
6. La supervision pédagogique entre pairs se pratique dans mon école.	5 4 3 2 1	5 4 3 2 1
7. J'ai souvent l'occasion de partager mes expériences avec mes collègues.	5 4 3 2 1	5 4 3 2 1
8. Mon école est un milieu de travail propice au regroupement et à l'échange.	5 4 3 2 1	5 4 3 2 1
9. J'ai l'occasion de discuter régulièrement de pédagogie dans mon école.	5 4 3 2 1	5 4 3 2 1
10. Mon école met à la disposition des enseignants des locaux appropriés aux échanges.	5 4 3 2 1	5 4 3 2 1

	Importance	Satisfaction
11. L'horaire de travail de mon école permet des temps de rencontre en vue de l'amélioration des pratiques.	5 4 3 2 1	5 4 3 2 1
12. Les discussions sont ouvertes et interactives pour tous les acteurs de l'école.	5 4 3 2 1	5 4 3 2 1
13. Dans mon milieu de travail, la critique est considérée comme un élément favorable à l'épanouissement.	5 4 3 2 1	5 4 3 2 1
14. Les décisions pédagogiques se prennent par consensus dans mon école.	5 4 3 2 1	5 4 3 2 1
15. Les décisions se prennent le plus près possible du lieu où se passe l'action.	5 4 3 2 1	5 4 3 2 1
16. L'autorité de l'expertise pédagogique du groupe prédomine dans les prises de décision.	5 4 3 2 1	5 4 3 2 1
17. C'est important pour moi d'être solidaire des décisions de l'équipe.	5 4 3 2 1	5 4 3 2 1
18. Mon milieu favorise la promotion de l'apprentissage réciproque.	5 4 3 2 1	5 4 3 2 1
19. Dans mon école, on identifie les difficultés pour être en mesure de les corriger.	5 4 3 2 1	5 4 3 2 1
20. Le personnel de mon école forme une communauté d'apprenants.	5 4 3 2 1	5 4 3 2 1
21. Mon école favorise l'intégration professionnelle des nouveaux venus.	5 4 3 2 1	5 4 3 2 1
22. Dans mon école, j'ai l'occasion d'exprimer mes besoins et ceux de mes collègues.	5 4 3 2 1	5 4 3 2 1
23. Dans mon école, il existe un climat d'écoute et de confiance mutuelle.	5 4 3 2 1	5 4 3 2 1
24. Les interrelations laissent place à l'humour dans mon école.	5 4 3 2 1	5 4 3 2 1
25. J'ai l'occasion de participer à la mise en œuvre de changements avec mes collègues.	5 4 3 2 1	5 4 3 2 1
26. Le personnel partage une vision commune de l'école.	5 4 3 2 1	5 4 3 2 1

	Importance	Satisfaction
27. Dans mon école, je bénéficie d'un climat de collaboration et non de compétitivité.	5 4 3 2 1	5 4 3 2 1
28. Dans mon école, le climat est propice aux échanges sans risque d'être jugé.	5 4 3 2 1	5 4 3 2 1
29. Les enseignants de mon école collaborent facilement avec la direction.	5 4 3 2 1	5 4 3 2 1
30. Dans mon école, on célèbre les succès et les réussites des collègues.	5 4 3 2 1	5 4 3 2 1

BIBLIOGRAPHIE

BARTH, R. (1988). *Building a Professional Culture in Schools*, Lieberman, New York, Teacher College Press.

BARTH, R. (1991). *Improving School from Within*, San Francisco, Jossey-Bass Publishers.

CONLEY, S.C. et S.B. BACHARACH (1990). « From School-Site Management to Participatory School-Site Management », *Phi Delta Kappan*, 71 (7), 539-544.

CONSEIL SUPÉRIEUR DE L'ÉDUCATION (1993). *La gestion de l'éducation : nécessité d'un autre modèle*, Rapport annuel 1991-1992 sur l'état et les besoins de l'éducation, Québec, Les Publications du Québec.

DESJARDINS, R. (1994). « La collégialité pédagogique et la culture professionnelle dans une école », *Vie Pédagogique*, 90, 41-45.

EDMONDS, R. (1979). « Effective School for Urban Poor », *Educational Leadership*, 37 (1), 15-24.

FULLAN, M. et F.M. CONNELY (1987). *La formation des enseignants en Ontario : méthodes actuelles et perspectives d'avenir*, Ontario, Ministère de l'Éducation.

GRAFFT, W.D. (1993). « Teaming for Excellence », *Thrust for Educational Leadership*, février-mars, 18-22.

JOHNSON, S.M. (1990). « Redesigning Teachers' Work », dans *Restructuring Schools* (125-149). San Francisco, Jossey-Bass Publishers.

KORENBLIT, P. et G. LAYOLE (1986). *Savoir déléguer*, Paris, Les Éditions d'Organisation.

KROVETZ, M.L. (1992). « What is restructuring ? », *Thrust for Educational Leadership*, octobre, 8-9.

LIBERMAN, A. et L. MILLER (1984). « School Improvement : Themes and Variations », dans LIBERMAN, A. (dir.), *Rethinking School Improvement* (96-111), New York, Teachers College Press.

LINDELOW, J. et S. BENTLEY (1989). « Team Management », dans SMITH, S.C. et PICKLE, K. (dir.), *School Leadership : Handbook for Excellence*, 2ᵉ édition, Eugène, ERIC, Clearinghouse on Educational Managagement, College of Education, University of Oregon.

LITTLE, J.W. (1982). « Norms of Collegiality and Expérimentation : Work Place Conditions of School Success », *American Educational Research Journal*, 19 (3), 325-340.

ROSENHOLTZ, S.J. et KYLES (1984). « Teacher Isolation : Barriers to Professionalism », *American Educator*, 12-15.

SERGIOVANNI, T. (1992). *Moral Leadership, Getting to the Heart of School Improvement*, San Francisco, Jossey-Bass Publishers.

TJOSVOLD, D. et M. TJOSVOLD (1991). *Leading the Team Organisation : How to Create an Enduring Competitive Advantage*, New York, Lexington Books.

WEVA, K. (1994). « L'administration scolaire et l'intégration professionnelle des nouveaux enseignants », dans MOISSET, Jean et BRUNET, Jean-Pierre (dir.), *Culture organisationnelle, changement et gestion de l'éducation, Les Cahiers du Labraps*, Université Laval, 15, 233-272.

L'*EMPOWERMENT*: LE PARTAGE DU POUVOIR

Le pouvoir s'il est amour de la domination, je le juge ambition stupide. Mais s'il est acte de créateur et exercice de la création [...] alors le pouvoir je le célèbre.

Antoine DE SAINT-EXUPÉRY

INTRODUCTION

Les poètes savent exprimer leurs idées de façon imagée. Dans cette veine Péguy utilise une parabole qui peut s'appliquer au domaine scolaire. Voici en substance cette parabole :

> *Alors qu'il se promenait sur les lieux d'un chantier de construction, un visiteur venu de l'étranger demanda à trois ouvriers ce qu'ils y faisaient. Le premier répondit qu'il posait des pierres les unes sur les autres. Le deuxième indiqua qu'il érigeait un mur. Enfin, le troisième déclara qu'il construisait une cathédrale...*

Ces trois réponses illustrent une certaine réalité observée dans l'organisation du travail éducatif. Certains administrateurs scolaires considèrent les membres de leur personnel comme des poseurs de pierre, ils se croient encore à l'ère industrielle, ils préconisent la centralisation : une planification à courte vue, d'où un travail peu responsabilisant qui amène l'isolement et l'individualisme des travailleurs. D'autres érigent un mur selon les règles de l'art. Ils mettent en place une organisation conviviale, ils favorisent les échanges, ils consultent leur personnel et décident en tenant compte des opinions reçues. Enfin, les nouvelles orientations préconisées par le ministère de l'Éducation proposent des perspectives renouvelées, elles convient le monde scolaire à «construire une cathédrale». Cette cathédrale, c'est l'école des années 2000, elle est au cœur d'un grand village qui se situe dans une société postindustrielle. Tout comme les autres institutions sociales, elle se retrouve aujourd'hui dans un carrefour névralgique et est appelée à créer, pour les jeunes comme pour les adultes, un espace pour grandir.

Les critiques les plus récentes en ce qui concerne l'école fournissent de multiples occasions de prendre du recul quant à l'efficacité de notre système scolaire. Pour plusieurs, l'ensemble du système produit des incultes diplômés ; ils constatent non seulement une absence de culture, mais un laisser-faire dans l'apprentissage des habiletés fondamentales.

Pour les enseignants, la vie n'apparaît pas tellement facile dans ce contexte qui respire la grisaille. Accablés de responsabilités, ils se disent sans pouvoir, éloignés des décisions comme des petits soldats de plomb lancés sur la ligne de feu. Le taux d'absentéisme et le pourcentage d'enseignants souffrant de dépression nerveuse et d'épuisement professionnel sont des sujets importants de réflexion. Est-ce plus rose pour les administrateurs ? Les directrices et directeurs d'école sont soumis à des règles qu'ils se refilent dans des hiérarchies démodées où souvent tout résiste au changement. Dans un tel contexte, l'école doit-elle être transformée, restructurée ? Poser la question, c'est y répondre.

Deux principes fondamentaux doivent guider cette transformation :

1. Tout élève peut réussir.
2. L'école doit contrôler les conditions de succès ou d'échec des élèves.

Pour y arriver, il faut augmenter l'*empowerment* des directeurs et des enseignants et favoriser l'acquisition et l'augmentation du pouvoir des enseignants.

QU'EST-CE QUE L'*EMPOWERMENT* ?

En quoi consiste l'*empowerment* ? Il s'agit d'une manière de travailler ensemble où les employés se sentent responsables non seulement de leur travail, mais de la bonne marche de l'organisation tout entière.

Pour Short (1993), l'*empowerment* est un processus par lequel les enseignants augmentent leur compétence dans la prise de décision tant au regard des besoins de l'organisation que de ceux des élèves.

Leigh (1993) décrit l'*empowerment* comme le passage de l'autorité des dirigeants à la responsabilisation des enseignants. Ce dernier se manifeste lorsque les enseignants prennent pleine possession et contrôle de leur travail et développent un intérêt personnel pour améliorer la réussite éducative des élèves et la performance de leur école.

L'*EMPOWERMENT* ET L'ENSEIGNANT

Dans une approche traditionnelle de gestion, le leadership du directeur d'école occupe une place déterminante. Celui-ci peut donner des directives pour que le travail se réalise. Il est celui qui confie des responsabilités aux enseignants. Il a la mission d'influencer la réalisation des actions de son école.

Dans une approche qui s'inspire des principes de l'*empowerment*, le directeur exerce son leadership en se préoccupant surtout du développement des ressources humaines à l'école. Il recherche l'engagement de chacun. En tant que leader, il met en veilleuse les aspects reliés au pouvoir et au contrôle sur son personnel pour s'intéresser à ceux qui produisent l'efficacité, la motivation et la performance. Dans une école habitée par l'*empowerment*, le leadership professionnel des enseignants a les caractéristiques suivantes :

- Le pouvoir est disponible dans l'école et les enseignants peuvent l'obtenir en s'engageant vers un but, en s'impliquant dans une équipe.
- Tous les membres du personnel de l'école partagent une même vision qui se résume facilement en quelques phrases.
- Tous les enseignants travaillent en étant préoccupés de la qualité de leurs interventions.
- Il existe un engagement de la plupart des enseignants à collaborer au succès de l'amélioration de l'école.
- Le leadership se retrouve partout dans l'école. Il n'est pas limité à ceux qui détiennent un titre formel.
- Une confiance élevée existe dans l'école. Les dirigeants et les enseignants savent qu'ils dépendent les uns des autres.

- L'information est partagée dans l'école. Les bonnes comme les mauvaises nouvelles sont communiquées.
- Il existe une adéquation entre les idéaux promus et les décisions prises.

Favoriser l'*empowerment* chez les enseignants suppose un changement important dans la façon dont les membres de l'organisation scolaire se comportent. En effet, un grand nombre de décisions se prenant par l'équipe-école, les enseignants ont alors un rôle beaucoup plus actif. Les changements apparaissent non seulement dans des responsabilités augmentées au niveau de l'école, mais aussi dans de nouvelles normes. Bien qu'elles ne soient pas toujours visibles, celles-ci constituent le fondement de l'amélioration des écoles et elles guident les enseignants en tant que groupe dans leurs actions. Voici un aperçu de ces normes :

- Les enseignants doivent assumer et partager avec le directeur d'école le leadership dans l'école. Ils doivent exercer un leadership non seulement dans leur classe mais aussi dans l'ensemble de l'école.
- Les enseignants doivent s'engager dans les prises de décision liées au rôle qu'ils ont à jouer à l'école relativement au personnel, aux programmes et au budget. En tant que professionnels, les enseignants participent aux décisions qui affectent leur vie et celle des élèves. En tant qu'experts de l'enseignement, ils ont à prendre des décisions sur l'allocation des crédits qui influencent l'amélioration des activités, des programmes.
- Les enseignants participent directement à l'initiation des nouveaux enseignants au sein de l'école. Ils se transforment en mentors par un encadrement soutenu des nouveaux venus à l'école. Ils partagent leur expertise de professionnels de l'enseignement.
- Un climat positif, la culture de l'école, l'atmosphère qui y règne favorisent la confiance entre les membres de l'école. Si l'enseignant agit en tant que professionnel, les collègues et les administrateurs le traiteront en professionnel.
- Les efforts et le temps investis dans les prises de décision sont reconnus et appréciés par le directeur et les autres collègues. La reconnaissance prend diverses formes : mémos d'encouragement, notes d'appréciation.
- Un sens de la communauté se développe parmi les membres du personnel lorsqu'ils travaillent ensemble à des projets communs.

- Il existe une communication ouverte et honnête au sein de tout le personnel de l'école. Une communication de qualité favorise le respect professionnel entre les membres. Le « je » personnel est remplacé par le « nous » collectif.
- Des attentes élevées sont signifiées à tout le personnel. Les enseignants ont des attentes élevées non seulement en ce qui regarde leur propre rendement, mais aussi vis-à-vis des élèves, de leurs pairs et des administrateurs.
- Les enseignants reçoivent le soutien nécessaire de la part des administrateurs, qui les encouragent à faire de leur mieux. Le directeur de l'école est considéré comme un facilitateur qui sert de lien entre les enseignants et l'administration centrale.

Une organisation scolaire où se vit l'*empowerment* se caractérise donc par une école qui se responsabilise, qui se mobilise vers la réussite des élèves et où les enseignants se situent au cœur de la pratique éducative. Dans un tel contexte, l'enseignant :

- fait des choix et participe à la prise de décision pour l'ensemble de l'école ;
- s'engage dans la vision commune de l'école ;
- prend des responsabilités ;
- réfléchit sur son enseignement ;
- réfléchit sur son propre leadership à l'école ;
- croit que ses idées sont écoutées et que quelque chose se développe à l'école grâce à sa participation ;
- recherche de nouvelles occasions d'améliorer sa classe et l'école ;
- recherche les causes et les solutions possibles liées aux problèmes d'enseignement ;
- reconnaît que les enseignants peuvent assumer un leadership au sein de l'école ;
- démontre son professionnalisme ;
- fournit des éléments de réflexion quant aux politiques, procédures, perfectionnement du personnel, programmes, objectifs, évaluation… associés aux opérations quotidiennes de l'école ;
- favorise un réseau de contacts entre les enseignants ;
- reconnaît la contribution des autres collègues ;
- est capable de vivre selon les normes qui reflètent la culture de l'école.

L'*empowerment* transforme le modèle pyramidal en cercles de travail interreliés et ayant l'élève comme noyau central. L'enseignant y joue un rôle important, puisque c'est lui qui établit le lien entre l'élève et l'école.

L'équipe de travail composée d'enseignants et du directeur d'école se réunit pour fixer la vision, les buts communs et les moyens pour y parvenir. Elle instaure et applique des stratégies visant l'amélioration organisationnelle et l'atteinte des objectifs personnels des enseignants. Elle est aussi responsable des résultats. Une équipe proactive apporte des idées nouvelles, prend des initiatives, encourage la créativité. Les enseignants se sentent collectivement concernés et engagés dans les diverses activités de l'école, ils ne travaillent plus de façon isolée dans leur classe.

Désormais les enseignants sont des partenaires associés. Non seulement chacun se sent responsable de sa classe, mais également de l'ensemble de l'école comme si c'était sa propriété. Il se doit d'être à l'écoute des clients internes (les élèves) et externes (les parents). Il ne fait pas que réagir à des demandes : il prend l'initiative d'agir. Il devient un décisionnaire et non plus un simple exécutant.

Pour travailler en équipe, les enseignants ont besoin de temps. L'organisation doit réaménager leurs horaires pour leur permettre de réfléchir et d'agir collectivement. Les conventions collectives doivent être revues pour permettre une planification de nature à favoriser des moments d'échange.

Le directeur d'école joue le rôle de collaborateur et assure un soutien à l'équipe (temps, matériel, argent). Les enseignants développent leur autonomie dans la prise de décision et acquièrent, par la formation continue, les connaissances nécessaires sur cette nouvelle façon de gérer.

Le concept d'*empowerment* se fonde sur la constatation que ceux qui travaillent ensemble se renforcent, que le travail de groupe crée un esprit d'équipe, un désir de relever les défis, autant chez les administrateurs, les enseignants, les élèves que les citoyens. Il s'agit d'un acte créateur qui libère une personne, un groupe, une organisation pour lui permettre d'avoir de nouveaux comportements. L'*empowerment* offre des choix, des degrés de liberté jamais atteints auparavant. La liberté d'être créateur, innovateur, la capacité d'influencer les élèves, les feed-back, la reconnaissance, le soutien et l'occasion de partager avec les pairs sont l'essence de l'*empowerment*. En ce sens on peut rapprocher ce terme du concept de professionnalisation. Pour Mearoff (1988), le concept d'*empowerment* signifie que l'enseignant exerce son métier dans un environnement où il agit en professionnel et où il est traité en professionnel.

L'*empowerment* se caractérise donc par une gestion exercée par l'équipe-école, où le pouvoir des enseignants est suffisamment grand pour contrôler les conditions influençant le succès des élèves. Le leadership se retrouve alors partout dans l'école. Dans un tel contexte, comment se situe le pouvoir du directeur ?

L'*EMPOWERMENT* ET LA DIRECTION D'ÉCOLE

Le directeur d'école est au cœur de l'*empowerment* des enseignants. Il doit favoriser, par son comportement, des gestes qui permettent aux enseignants d'être de véritables professionnels dans l'école. Il constitue un des fondements du pouvoir chez les enseignants. Un directeur d'école qui est mal préparé ou qui développe une insécurité telle qu'il doit tout contrôler dans les moindres détails, qui laisse peu d'autonomie à ses enseignants et qui n'a pas confiance en leurs capacités professionnelles est un obstacle majeur à l'amélioration de l'école et de l'enseignement.

Au contraire, le directeur qui favorise l'*empowerment* des enseignants :

- articule une vision et des objectifs pour l'école ;
- a pour motivation la réalisation plutôt que le pouvoir ;
  est visible et accessible, il pratique le « management baladeur » ;
- présente des attentes élevées et encourage les enseignants à prendre des risques ;
- partage l'information et la prise de décision avec les enseignants ;
- ne cherche pas à éviter les problèmes, mais admet qu'ils font partie de sa fonction ;
- ne fuit pas devant le risque, mais accepte de l'affronter, de façon planifiée ;
- recherche, chez les enseignants, des intrants à insérer aux objectifs de l'école ;
- ne voit pas de menaces dans l'innovation et dans la créativité, même si elles sont le fait des enseignants, mais il y voit généralement des réponses aux besoins changeants de l'école ;
- favorise la collégialité ;

- soutient ses enseignants dans les projets qu'ils mettent en œuvre ;
- fournit des occasions pour que se développent des interactions entre les membres du personnel ;
- développe des formes variées d'appréciation et de reconnaissance ;
- se considère comme un serviteur public qui utilise ses fonctions au service de ses clients et non à son profit propre.

L'*empowerment* apporte des modifications radicales dans les relations entre les personnes travaillant dans l'école. Il passe par l'accroissement du pouvoir et des responsabilités des enseignants. Le partage du pouvoir ne signifie pas que les administrateurs renoncent à leur pouvoir et que les enseignants défient l'autorité du directeur. Il signifie plutôt que le pouvoir circule au milieu de l'école. Le pouvoir, c'est l'habileté à réaliser des choses, à mobiliser des ressources, à les utiliser et à contrôler les conditions qui rendent les actions possibles. Le directeur d'école qui favorise l'*empowerment* de l'enseignant, en lui permettant d'exercer son métier dans un environnement où il agit en professionnel et est traité en professionnel, diminue-t-il son propre pouvoir ? Au contraire, c'est un moyen par lequel il devient plus efficace. Plus on donne du pouvoir, plus on en obtient. Comme il sera explicité au chapitre 9, la direction de l'école exerce un « superleadership » en considérant les enseignants comme des leaders. Dans ce contexte, l'augmentation du pouvoir, la prise de décision à la base, le professionnalisme prennent tout leur sens.

Dans une école habitée par l'*empowerment*, paradoxalement les enseignants se sentent à la fois libres et contrôlés. Dans ce nouvel environnement professionnel, les enseignants possèdent le pouvoir de prendre leurs propres décisions et de se gérer eux-mêmes. Il s'agit cependant d'une liberté balisée par la vision et les orientations établies en collégialité par l'école. La direction doit garder un contrôle serré sur les cibles visées et la qualité des services. Le contrôle et la liberté ne sont pas deux extrêmes qui s'excluent, mais deux éléments dont il faut tenir compte.

L'*EMPOWERMENT*, SOURCE DE POUVOIR

Comme le dit un certain adage, l'information est le pouvoir. Peut-on affirmer que fournir de l'information fait grandir le pouvoir ? Certes, si cette information est pertinente elle peut être bénéfique autant à l'organisation qu'à l'employé parce qu'elle contribue à clarifier les situations et à prendre de meilleures décisions.

Le leader qui stimule, motive et sait partager l'information avec ses subordonnés est l'essence même de cette augmentation du pouvoir qui permet à l'organisation de profiter des talents de chacun et de progresser.

L'amélioration des ressources est une autre manière d'accroître le pouvoir et d'augmenter les chances de succès. Une organisation peut rarement avoir le meilleur équipement dans tous les domaines. On peut aussi dire qu'une personne même créative, qui jouit d'un certain soutien, est limitée si elle est privée de ressources essentielles à son travail.

Un directeur d'école partage son pouvoir quand il confère un pouvoir qui lui appartient à un membre de son personnel ou quand il augmente un pouvoir que le personnel détenait déjà. Donner du pouvoir aux enseignants ou augmenter leur pouvoir consiste en un processus qui :

- leur permet de découvrir leurs besoins d'autodétermination et de vivre des sentiments d'efficacité personnelle et de puissance ;
- fait croître en eux un sentiment de valorisation personnelle ;
- fait ressortir les obstacles qui empêchent les enseignants d'avoir cette conviction d'efficacité et de puissance.

Pourquoi donner du pouvoir aux enseignants ? Donner du pouvoir aux enseignants ou augmenter leur pouvoir contribue à accroître l'efficacité et l'atteinte de l'excellence, car un employé est motivé à s'impliquer lorsqu'il constate qu'il a du pouvoir et qu'il a un sentiment de puissance.

Les motifs qui amènent un directeur à partager son pouvoir avec les enseignants sont reliés à la confiance qu'il leur témoigne, à la croyance en l'équipe et en sa synergie pour un meilleur état organique de son école, qu'il veut performante. L'adhésion volontaire des enseignants améliore les liens hiérarchiques entre le délégant (le directeur) et les délégataires (les enseignants) et procure un cadre harmonieux pour le partage des responsabilités. On peut donc résumer ainsi les raisons du partage du pouvoir :

- une croyance en l'homme ;
- une croyance en l'équipe ;
- une croyance en la synergie qui se crée dans une l'équipe ;
- une adhésion qui s'obtient mais qui ne s'impose pas ;
- un renforcement de la liaison hiérarchique qui permet d'accepter les projets du groupe et les initiatives personnelles ;
- un allègement du niveau de responsabilité de la direction qui décentralise ses pouvoirs ;

- une responsabilisation accrue des enseignants qui connaissent le mieux les problèmes de l'école ;
- un accroissement de la productivité, de l'efficacité, de résultats tangibles et de l'excellence.

L'ensemble des acteurs doivent reconnaître qu'il faut transformer l'organisation scolaire pour atteindre des résultats de qualité. Favoriser l'étapisme dans une telle démarche peut difficilement aider à modifier en profondeur les écoles. Le progrès est plus global. Il faut une approche systémique qui touche tous les acteurs du système.

Les enseignants sont les plus touchés. La route de l'*empowerment* est parsemée d'embûches. Selon Scott (1992), l'équipe éprouvera différentes difficultés avant de parvenir à l'*empowerment*. L'inertie, le découragement et même la colère seront des étapes à franchir avant d'arriver au sommet. Les réformes administratives ont été tentées depuis près de 30 ans ; il faut désormais se tourner vers la réforme professionnelle chez les enseignants. Le défi est de taille, mais les expériences dans les différents milieux indiquent une piste sérieuse de solution. Engagement, climat, confiance, motivation, collaboration, autonomie, expertise, communication et culture améliorée favorisent l'*empowerment* chez les enseignants qui ont le pouvoir de prendre des décisions.

Le pouvoir professionnel aux enseignants ne sera possible que si la vision de la commission scolaire et de l'école est claire et partagée par tous, si la commission scolaire appuie cette stratégie pour améliorer l'école, si le syndicat apporte son soutien, si les pouvoirs décentralisés sont clairement définis, si le directeur d'école est compétent, si la collégialité est possible au sein de l'équipe-école, si le professionnalisme des enseignants est intégré aux comportements de tous les jours.

CONCLUSION

Nous avons vu dans ce chapitre que l'*empowerment* est une manière de travailler ensemble fondamentalement différente de nos façons de faire habituelles parce qu'elle se base sur l'accroissement des compétences, le travail en équipe, l'amélioration des performances et la confiance de la direction de l'école qui accepte la délégation de la décision à son équipe-école. Du côté de l'enseignant, il lui faut refuser de se cantonner dans l'isolement de son local ou de se satisfaire d'un *statu quo* rassurant pour exercer une autonomie responsable et s'engager dans un processus de partenariat qui lui permette de s'impliquer dans la gestion pédagogique de son école et de gérer son avenir dans sa profession.

La poursuite de l'*empowerment* et du partage du pouvoir ne se termine jamais. Ce n'est pas un point d'arrivée, c'est un mouvement, un voyage sans fin. Il n'existe qu'une seule stratégie pour implanter l'*empowerment* à l'école : être persistant. L'*empowerment* et le partage du pouvoir deviennent réalité seulement quand ils sont accompagnés de ténacité et de courage. C'est le chemin à fréquenter pour faire un pas en avant dans le sens d'une école de qualité dont on ressent si vivement l'urgence.

XXX

INSTRUMENT *Partager le pouvoir avec les enseignants, c'est leur permettre de se réaliser, de se dépasser. C'est aussi les rendre capables de découvrir leur besoin d'autodétermination, de leur donner un sentiment de puissance dans leur travail et d'efficacité pour l'amélioration de l'apprentissage des élèves. Quels sont les pouvoirs qui peuvent être donnés à l'école ? Comment réaliser le partage du pouvoir entre les enseignants et la direction de l'école ? Le questionnaire suivant représente un instrument qui peut aider à définir les nouveaux rôles dans une gestion centrée sur l'école.*

DÉCENTRALISATION VERS L'ÉCOLE
ET PARTAGE DU POUVOIR

**1. Énumérez par ordre d'importance les fonctions
   qui pourraient être déléguées à l'école.**

Fonctions décentralisées

1. _____

2. _____

3. _____

4. _____

5. _____

6. _____

7. _____

8. _____

9. _____

10. _____

11. _____

12. _____

13. _____

14. _____

15. _____

16. _____

17. _____

18. _____

2. Dans une gestion décentralisée, quels sont les fonctions ou les domaines de compétence qui :

Relèvent du directeur	Relèvent conjointement du directeur et des enseignants	Relèvent des enseignants

BIBLIOGRAPHIE

LEIGH, D. (1993). *Total Quality Management: Training Module on Empowerment Teamwork*, Texas, Austin.

MEAROFF, G. (1988). *The Empowerment of Teachers*, New York and London, Teachers College Press.

SCOTT, J. (1992). *Le nouveau concept du management: l'Empowerment*, Laval, Éditions Agence d'Arc.

SHORT, P. (1993). *School Empowerment Through Self-managing Teams: Leader Behavior in Developing Self-managing Work Groups in Schools*, New York, John Wiley.

VOFT, J. et M. KENNETH (1990). *Empowerment in Organizations*, San Diego, Pfeiffer and Company.

PRISE DE DÉCISION EN ÉQUIPE

La démocratie se doit d'être une création continue.

Georges CLÉMENCEAU

INTRODUCTION

À un moment de notre existence, il nous est arrivé de nous retrouver devant une situation qui nous a obligé à prendre conscience d'un problème ou de problèmes particuliers. Que faisons-nous devant une telle situation ? Nous commençons, tout d'abord, par identifier le problème, ensuite, nous réunissons les éléments pertinents au problème, les analysons ; nous évaluons les options possibles, choisissons la ou les meilleures options en relevant les aspects positifs ou négatifs ; enfin, nous prenons une décision, nous la réalisons et, surtout, nous gérons les risques qu'elle comporte.

Ce processus, aussi complexe soit-il, peut être vécu individuellement ou en équipe. Lorsque le choix optimal est fait par un seul individu, il s'agit d'une prise de décision individuelle. À partir du moment où ce choix est posé par un individu aidé d'un groupe de personnes, on parle d'aide collective à la prise de décision individuelle, et lorsque le choix est effectué par le groupe, on parle de prise de décision collective. Qu'est-ce donc que la prise de décision collective ?

LA PRISE DE DÉCISION COLLECTIVE : NUANCES ET DÉFINITIONS

NUANCES

La prise de décision réfère automatiquement à un individu et à une équipe. Cependant, il y a un troisième aspect qu'on ne doit pas ignorer. Il arrive fréquemment que des équipes constituées de membres d'une organisation, n'ayant pas le mandat de prendre la décision finale, aident l'administrateur à la prise de décision ; autrement dit, ils préparent toutes les étapes de la décision et laissent le choix final à la discrétion d'un directeur. Mais, d'abord, essayons de définir la prise de décision individuelle.

Prise de décision individuelle

La prise de décision individuelle est celle qui est pratiquée par l'administrateur lui-même ou, de façon plus générale, par un individu investi de la responsabilité de résoudre un problème. On y a surtout recours dans les circonstances suivantes :

– Lorsqu'on fait face à un problème qui exige beaucoup de créativité, d'esprit d'initiative, d'efficience et d'efficacité. Seul, face au problème, le dirigeant est mieux placé pour trouver des solutions appropriées et choisir la meilleure d'entre elles. Il sait alors que toute sa responsabilité, son savoir-faire, son jugement et sa réputation sont en jeu. Les décisions reflètent, dans ce cas-là, son savoir-observer, son savoir-juger et son savoir-faire.

– Lorsque certaines décisions, même importantes, ne requièrent pas un niveau d'acceptation élevé dans les systèmes scolaires.

– Lorsque la qualité de la solution est un facteur déterminant dans la prise de décision individuelle. Dans ce cas-là, on identifie la personne la mieux placée, soit celle qui possède les habiletés et l'expertise nécessaires pour résoudre ce type particulier de problème.

– Lorsque la personnalité des individus ne favorise pas la collaboration. On retrouve dans les écoles, des collègues qui peuvent difficilement travailler ensemble. Ils sont incapables de communiquer, de débattre de points de vue différents pour atteindre les mêmes objectifs. L'esprit de compétition est le pire ennemi de la prise de décision collective. Dans un tel contexte, on fait appel à la prise de décision individuelle.

– Lorsque le climat est malsain et que les relations entre les personnes sont tendues, les politiques caduques, le leadership autocratique, la tâche non invitante et le milieu physique mal aménagé, la prise de décision en groupe est à éviter.

– Lorsque le facteur temps a de l'importance. Trouver seul une solution requiert moins de temps que si l'on demande à plusieurs personnes de se pencher sur un problème donné. Par conséquent, lorsqu'on dispose de peu de temps, il est habituellement préférable de prendre les décisions de manière individuelle.

Au cours du processus de prise de décision individuelle, l'administrateur :

– est le seul responsable de ses actes, de son jugement ;
– identifie le problème ;
– trouve des solutions possibles ;
– choisit et implante la meilleure solution ;
– évalue la décision ;
– assume les risques reliés à la décision prise.

Aide du groupe à la prise de décision individuelle

L'aide du groupe à la prise de décision individuelle survient lorsque, dans une école, le directeur pense qu'il a besoin de l'expertise et des habiletés de plusieurs personnes pour diagnostiquer le problème, pour identifier les composantes pertinentes au problème, pour les analyser et pour évaluer les solutions possibles. Le groupe franchit toutes ces étapes et laisse le soin et la responsabilité de la décision finale à l'administrateur.

Dans la prise de décision traditionnelle, la responsabilité de la décision repose sur l'administrateur. Le manager qui veut conserver l'intégrité de cette responsabilité fait alors appel au groupe. En prenant la décision finale, il devient le seul responsable même s'il a reçu le soutien du groupe.

Kreitner (1992 : 219-220) présente trois situations où la responsabilité individuelle est requise.

– Lorsque la décision prise doit avoir un impact considérable sur le succès ou sur l'échec de l'organisation.

- Lorsque les décisions ont des ramifications légales.
- Lorsque la décision est reliée à l'obtention éventuelle de récompenses ou de promotions.

Dans l'aide du groupe à la prise de décision individuelle, l'administrateur :

- choisit un groupe, suivant l'expertise des individus qui le composent, en supposant que l'expertise et l'apport de deux ou de plusieurs individus valent mieux que ceux d'une seule personne dans la recherche de solutions ;
- fait confiance à ce groupe ;
- laisse le groupe définir le problème, identifier, analyser, évaluer les solutions possibles susceptibles de résoudre le problème identifié ;
- prend la décision finale en y engageant son entière responsabilité ;
- évalue la décision ;
- gère les risques reliés à la décision.

DÉFINITIONS

On note une différence critique entre l'aide du groupe à la prise de décision individuelle et la prise de décision en groupe, en ce sens que, dans le premier cas, le groupe ne prend pas de décision, mais laisse l'administrateur poser ce geste, et que, dans le deuxième cas, c'est le groupe qui assume les responsabilités reliées à tout le processus.

Selon Wagner III et Hollenbeck (1992), la prise de décision en groupe repose sur la constitution d'une force de travail dont le but ultime est de résoudre un problème ou de prendre des décisions. Barney (1992) précise que la prise de décision en groupe est tout processus décisionnel mis en place par plusieurs individus. Elle permet à l'organisation de miser sur les capacités et les habiletés de chacun des individus au cours du processus de décision.

Le degré de participation dans la prise de décision individuelle et collective est différent. En effet, dans la prise de décision collective :

- plusieurs individus se regroupent ;
- ces individus ont des capacités et des habiletés qui leur permettent :
  - d'identifier le problème posé ;

- d'élaborer et d'évaluer les solutions possibles (plusieurs solutions, parce qu'ils sont plusieurs à y penser);
- de choisir et d'implanter la meilleure solution;
- d'évaluer la décision prise;
- de gérer les risques décisionnels.

LA PRISE DE DÉCISION COLLECTIVE : AVANTAGES ET INCONVÉNIENTS

AVANTAGES

Prendre une décision en groupe comporte beaucoup d'avantages. Et cet adage le confirme : « L'individu qui se penche seul sur un problème durant une semaine et essaie de lui trouver une solution oublie qu'il pourrait y avoir quelqu'un qui pourrait trouver la solution à ce problème en très peu de temps. »

Dans l'équipe-école plusieurs personnes possèdent diverses expertises qui, mises à contribution, permettent de trouver la meilleure solution à apporter au problème posé et ce, plus efficacement.

L'organisation qui mise sur la prise de décision collective sera à même de constater que :

- les informations à obtenir sur le problème sont multipliées. Un membre détient peut-être un à deux éléments d'information, un deuxième en détiendra peut-être cinq, et ainsi de suite. Ces informations nourriront le débat et permettront d'acquérir une meilleure compréhension du problème, diminuant d'autant les risques prédécisionnels;
- les expériences et expertises individuelles des membres réunis permettent une prolifération d'options adéquates, une analyse plus approfondie des éléments pertinents au problème posé, une évaluation soutenue et critique des options afin de pouvoir en choisir la ou les meilleures possibles;
- la communication, les relations interpersonnelles, la vision commune, la confiance mutuelle sont meilleures entre les membres du groupe. Ils apprennent à collaborer avec les autres, à accepter leurs idées et à les appliquer sans se sentir diminués ou mis à l'écart;

– le niveau de compréhension et d'acceptation de la décision par les membres de l'équipe-école est augmenté ;

– les membres du groupe manifestent un grand enthousiasme et une volonté ferme de soutenir l'implantation de la décision.

En somme, les avantages de la prise de décision en groupe se résument ainsi :

1. L'accumulation d'informations et d'expérience en raison de l'expertise des membres du groupe choisis.

2. L'apport de nombreux éléments à chacune des étapes du processus de décision.

3. Une analyse approfondie et une critique soutenue de ces éléments.

4. Un plus grand nombre de solutions proposées.

5. Une meilleure compréhension du problème.

6. L'augmentation du niveau d'acceptation de la décision.

7. Le renforcement de l'enthousiasme et de l'appui des membres pour la mise en œuvre de la décision.

8. L'assainissement du climat de travail et l'amélioration des relations interpersonnelles.

INCONVÉNIENTS

Recourir au processus de prise de décision collective est avantageux, mais cela comporte des inconvénients.

Le temps

Le premier inconvénient est le facteur temps. La prise de décision en groupe prend plus de temps que le processus paraphé par un individu. Réunir des gens, les amener à identifier un problème, à analyser les informations relatives à ce problème et à s'entendre sur une solution, parmi plusieurs, prend beaucoup de temps, non seulement parce que les membres du groupe sont nombreux, mais aussi parce qu'ils se croient éventuellement experts en la matière. Autrement dit, plus les membres sont nombreux, plus ils prennent du temps à parvenir à un consensus.

Le groupe interactif

Le groupe interactif est une équipe mal organisée et non structurée, dans laquelle les membres entretiennent une relation de face à face comme dans une conversation ordinaire (Wagner III et Hollenbeck, 1992). L'équipe de la prise de décision doit avoir une structure d'action qui permette à tous et à chacun de discuter au moment opportun sans outrepasser les limites fixées au départ. Nul n'a, lors de la séance de génération d'idées, le privilège de prendre la parole sans que ce ne soit son tour d'intervenir. En outre, tous doivent se conformer aux instructions de l'animateur. S'il arrive que le groupe utilise une tactique interactive pour la prise de décision, il y a beaucoup de chances que les erreurs réduisent la qualité et la quantité des informations et, particulièrement, la qualité du jugement des membres, ce qui empiéterait considérablement sur la qualité de la décision.

La complaisance

La complaisance constitue une autre limite à la prise de décision en équipe, en ce sens qu'elle relève, elle aussi, d'une erreur de jugement. Wagner III et Hollenbeck (1992) sont d'avis que la complaisance apparaît souvent lorsque les gens à qui l'on demande de se prononcer sur un sujet donné s'attendent à recevoir une récompense ou une punition. De plus, ces gens ne disent pas la vérité, ne sont pas objectifs et font tout leur possible pour éviter les ennuis. Ils appuient aveuglément certaines idées à cause de la pression sociale et découragent l'exploration des autres. La complaisance fait en sorte que le groupe a tendance à évaluer immédiatement les solutions proposées en évitant la recherche d'autres solutions qui peuvent être proposées plus tard. Au cours d'une séance de prise de décision, la complaisance intervient lorsque :

- les membres de l'équipe n'ont pas envie de travailler ;
- ils sont exaspérés par rapport au problème à résoudre ;
- ils doivent se prononcer sur un cas concernant leur supérieur, leurs amis ou leurs collègues, ou encore une connaissance d'autres membres du groupe ;
- les membres doivent se prononcer sur un sujet qui leur tient à cœur ;
- leur intérêt ou celui d'un proche est en jeu.

La déviation du choix

La déviation du choix, considérée comme une erreur de jugement, se manifeste par la tendance qu'a le groupe à adopter une décision extrême, contraire à celle que les membres, individuellement, adopteraient dans des circonstances différentes. Il y a déviation du choix lorsque :

– Les membres du groupe ont tendance à se comparer : c'est ce que Wagner III et Hollenbeck (1992) appellent « la comparaison sociale ». D'après ces auteurs, cela se produit lorsque les membres d'un groupe adoptent d'abord une position prudente par rapport à une décision, et qu'après avoir entendu les autres tenir mordicus à des idées extrêmes, ils ont tendance à faire des comparaisons, à se remettre en question, à douter de la pertinence de leur position et même à changer d'avis pour se rallier aux autres ;

– le groupe est dominé par un individu qui a un charisme exceptionnel et qui veut imposer à tout prix son point de vue sur celui des autres ;

– certains avancent des arguments pour convaincre. Selon la théorie commune, lorsque les discussions de groupe donnent des arguments extrémistes, les « moutons de Panurge » ou les modérés changent de position et deviennent plus extrémistes ;

– le groupe est victime de ce que Janis (1982) appelle le « *groupthink* », terme dont il sera largement question dans les pages qui vont suivre.

GROUPTHINK

Définition

Le *groupthink* est un inconvénient majeur de la prise de décision en groupe. Ce phénomène a été étudié par le psychologue Janis (1982) dont la thèse centrale est la suivante :

> *Plus un groupe est marqué par une certaine chaleur interne et par un esprit de corps, plus grand est le danger de voir ses facultés de pensée critique et indépendante laisser place à la pensée de groupe, qui tend à produire des actions irrationnelles et déshumanisantes dirigées à l'encontre des groupes extérieurs.* (Traduction libre)

Le *groupthink* est une manière de penser dans laquelle les gens s'engagent lorsqu'ils se sentent profondément impliqués dans le groupe.

Ils ont plutôt tendance à protéger la cohésion du groupe, à s'efforcer d'obtenir l'unanimité sans se soucier de l'avis du groupe de manière réaliste et, surtout, des risques prédécisionnels, décisionnels et postdécisionnels.

Les caractéristiques du groupthink

La survalorisation du groupe

Les membres du groupe développent une illusion d'invulnérabilité qui engendre un optimisme excessif et encourage à prendre des décisions extrêmement risquées. On se croit à l'abri des problèmes difficiles à résoudre et on n'hésite pas à prendre de gros risques que, seul, on n'oserait jamais prendre.

Les membres du groupe développent une foi sans borne en leur propre moralité, ce qui les pousse à ignorer la signification morale de leurs décisions. Un groupe ayant à résoudre des problèmes moraux complexes tendra ainsi à rechercher une aide dans un unanimisme de groupe. On utilisera alors des formules dont le vague ne fait que cacher les dilemmes ressentis par chacun (par exemple : « On ne fait pas d'omelette sans casser d'œufs »). On est convaincu que le groupe est sans reproche et a toujours raison.

Une pensée fermée

Dans ce contexte-là, des efforts collectifs de rationalisation sont déployés pour écarter tout signal d'alerte et tout retour d'informations qui pourrait obliger à reconsidérer les décisions arrêtées. Tout est fait pour rationaliser le statu quo.

Parfois, les membres du groupe ont une perception stéréotypée de l'adversaire : ce dernier sera considéré comme immoral et trop diabolique pour que toute tentative de négociation ait une chance de réussir ; ou encore, trop stupide et trop faible pour que l'on se soucie de prendre quelque contre-mesure que ce soit.

Des pressions pour une certaine uniformité

Les membres du groupe pratiquent l'autocensure : par crainte de soulever la désapprobation des autres participants ; ils évitent toute déviation par rapport au consensus établi, en choisissant de taire leurs doutes et leurs appréhensions. On peut aussi observer une illusion partagée d'unanimité, alimentée par l'autocensure et par l'hypothèse selon laquelle le silence signifie l'accord.

Il y a aussi des pressions directes qui s'exercent sur tout membre qui exprime des arguments qui vont à l'encontre de quelque stéréotype, illusion et engagement du groupe... Ce mécanisme établit clairement que la dissension est contraire à ce qui est attendu de tout membre loyal. Les conséquences potentiellement négatives d'une décision ne sont jamais discutées. Ainsi, la recherche de consensus est renforcée.

Parfois, le groupe possède des « gardiens de la pensée » du groupe (*mindguards*, comme il y a des gardes du corps), gardiens autodésignés, qui protègent des informations défavorables, des interprétations et prises de position perturbantes qui pourraient altérer la satisfaction partagée quant à l'efficacité et à la moralité des décisions prises.

Les conséquences du groupthink

Lorsque le *groupthink* prédomine dans une équipe, les biais suivants sont considérablement renforcés :

- une recherche incomplète de l'information appropriée relative au problème posé ;
- un examen incomplet des variantes ;
- une étude incomplète des objectifs ;
- un défaut d'examen des risques liés à l'option préférée ;
- un défaut de réexamen et de réévaluation des variantes rejetées initialement ;
- une recherche incomplète des solutions possibles ;
- des biais sélectifs dans le traitement de l'information ;
- un échec à produire des résultats conformes à la planification ;
- une mise en œuvre mal préparée, sans attention, en particulier, aux plans de rechange à définir, au cas où l'option retenue échouerait.

Ces biais conduisent finalement à une décision de piètre qualité.

MOYENS POUR SURMONTER LES INCONVÉNIENTS

La complaisance, la déviation des choix et le *groupthink* sont des erreurs de jugement qui réduisent l'attrait de la prise de décision collective, bien qu'elle comporte beaucoup d'avantages. Afin de surmonter les inconvénients et d'augmenter l'efficacité du processus, il est important de le scinder en deux parties et de bien le structurer, afin de mettre à profit l'intervention des membres de l'équipe dans les phases de la génération et de l'évaluation des idées.

PRODUCTION DES IDÉES

Au cours de cette phase, les membres du groupe proposent plusieurs idées sans tenir compte de leur qualité, ni de leur faisabilité.

À ce stade-ci, les interventions interactives sont proscrites. Les idées doivent être proposées par chaque membre selon un ordre établi par le leader et une certaine rigueur, en tenant compte de l'intervention de chacun. Le leader doit décourager les interventions non désirées afin de minimiser leur effet sur l'échange des opinions et la décision à prendre. Cela permet en outre de diminuer la complaisance, l'influence des groupes extrémistes et l'influence des dominateurs qui veulent qu'on ne tienne compte que de leur opinion.

ÉVALUATION DES IDÉES

C'est à cette phase que l'interaction sociale est encouragée ; c'est le moment où toutes les idées proposées à la phase précédente sont examinées et les meilleures sont retenues. Les membres critiquent, émettent des observations et expriment leur point de vue sur chaque idée. Aucune règle particulière ne régit cette phase du processus.

Si les membres du groupe observent les consignes du leader au cours de ces deux phases, le problème du *groupthink* risque moins de se poser. La cohésion du groupe sera, certes, un avantage, mais la recherche de la meilleure solution suscitera la participation de tous les membres étant donné qu'ils auront l'occasion de proposer des idées et de les évaluer, de les critiquer et même de les écarter pour ne conserver que les meilleures.

Somme toute, les stades de production et d'évaluation d'idées se retrouvent dans trois approches différentes telles que le remue-méninges (*brainstorming*), la technique Delphi et la technique du groupe nominal.

CONCLUSION

Au terme de ce chapitre, il importe de retracer les points saillants qui nous ont permis de comprendre le processus de la prise de décision collective. Il existe trois types de prise de décision : l'individuelle, qui est paraphée par l'administrateur, l'individuelle aidée du groupe et la collective. Cette dernière permet la prise de bonnes décisions étant donné qu'elle réunit des gens expérimentés qui identifient clairement le problème, recherchent les meilleures informations, élaborent et évaluent les options possibles, choisissent et implantent la meilleure solution, évaluent la décision prise tout en tenant compte de la gestion des risques inévitables qui y sont reliés.

Malgré tous ces avantages, la prise de décision collective comporte des limites. Elles ont trait au fait que les membres du groupe sont permissifs, moins critiques, se font confiance aveuglément et ne recherchent pas assez des solutions efficaces. Ils sont aux prises avec le problème du *groupthink*. Afin d'éviter l'apparition de ce phénomène, il est important de suivre les règles strictes imposées par l'animateur durant les phases de la production d'idées et d'évaluation d'idées.

| INSTRUMENT | *L'équipe-école regroupe plusieurs personnes possédant des expertises différentes et complémentaires. L'organisa-* |

tion qui mise sur la prise de décision de groupe pourra glaner des solutions plus créatives et obtenir une plus grande adhésion de ses membres. L'instrument que nous vous proposons ci-après présente des éléments de la réorganisation du travail du personnel enseignant. Il permet d'évaluer des dimensions importantes de la gestion centrée sur l'école en mettant en évidence le thème de ce chapitre, soit la prise de décision en équipe.

LA PRISE DE DÉCISION EN ÉQUIPE

Pour chacun des énoncés suivants, indiquez par un chiffre de 1 (très peu) à 5 (beaucoup) jusqu'à quel point il correspond à la réalité de votre école.

	Très peu				Beaucoup
1. Les enseignants discutent régulièrement entre eux des pratiques reliées à l'enseignement et à l'apprentissage.	1	2	3	4	5
2. Les enseignants s'apportent mutuellement des critiques constructives sur leur enseignement.	1	2	3	4	5
3. Les enseignants participent ensemble au développement des programmes par la planification, la recherche, l'évaluation et la préparation du matériel.	1	2	3	4	5
4. Les enseignants partagent avec chacun de leurs collègues ce qu'ils connaissent au sujet de l'enseignement et de l'apprentissage.	1	2	3	4	5
5. Le climat qui règne dans l'école favorise une remise en question et un renouvellement des pratiques pédagogiques.	1	2	3	4	5
6. Le personnel de l'école se sent engagé dans son travail.	1	2	3	4	5
7. Les enseignants et la direction de l'école se respectent.	1	2	3	4	5
8. Les enseignants et la direction partagent les mêmes valeurs au sujet de l'éducation.	1	2	3	4	5
9. Les enseignants travaillent en équipe avec les autres enseignants.	1	2	3	4	5
10. Il existe un climat de confiance mutuelle entre les enseignants et la direction.	1	2	3	4	5
11. Les enseignants examinent d'une façon critique leur pratique d'enseignement.	1	2	3	4	5
12. Les enseignants considèrent que le développement professionnel fait partie intégrante de leur travail.	1	2	3	4	5
13. Lorsque des conflits surgissent à l'école, les enseignants travaillent à les résoudre avec toutes les personnes concernées.	1	2	3	4	5
14. La direction de l'école reconnaît et valorise le travail des enseignants.	1	2	3	4	5
15. La direction de l'école démontre par ses actions qu'elle a une vision claire de la mission de l'école.	1	2	3	4	5
16. La direction de l'école soutient les enseignants à l'égard des problèmes qu'ils rencontrent en classe.	1	2	3	4	5
17. La direction de l'école prend part aux efforts de collaboration entre les enseignants.	1	2	3	4	5

	Très peu				Beaucoup
18. La direction et les enseignants collaborent pour prendre les décisions qui touchent l'ensemble de l'école.	1	2	3	4	5
19. La direction de l'école pose des actions démontrant qu'elle est préoccupée par la réussite des élèves.	1	2	3	4	5
20. La direction de l'école encourage les innovations pédagogiques.	1	2	3	4	5
21. Les enseignants sont encouragés à réaliser de nouveaux projets.	1	2	3	4	5
22. La direction de l'école accepte que les enseignants commetttent des erreurs.	1	2	3	4	5
23. Les enseignants et la direction de l'école ont tendance à être ouverts aux nouvelles idées pédagogiques.	1	2	3	4	5
24. Les enseignants et la direction acceptent que certaines personnes résistent aux nouvelles idées et aux nouvelles approches pédagogiques.	1	2	3	4	5
25. La direction de l'école invite les enseignants au changement en appuyant des idées nouvelles.	1	2	3	4	5

L'organisation du travail prévoit à l'école du temps

26. pour la planification du travail.	1	2	3	4	5
27. pour la formation continue.	1	2	3	4	5
28. pour le travail en équipe.	1	2	3	4	5
29. pour le travail qui ne fait pas partie de la tâche en présence des élèves de l'école.	1	2	3	4	5

La direction de l'école consulte les enseignants

30. pour des décisions qui concernent leur travail.	1	2	3	4	5
31. pour des décisions d'ordre pédagogique.	1	2	3	4	5
32. pour des décisions qui concernent les orientations générales de l'école.	1	2	3	4	5
33. pour l'élaboration des objectifs de l'école.	1	2	3	4	5
34. Il existe une structure qui permet aux enseignants d'exercer une influence sur les décisions qui touchent l'ensemble de l'école.	1	2	3	4	5
35. La communication entre les enseignants est facile et efficace.	1	2	3	4	5
36. La communication est efficace de la part des enseignants vers la direction de l'école et aussi de la part de la direction de l'école vers les enseignants.	1	2	3	4	5
37. L'information fournie par la direction de l'école pour prendre des décisions importantes est suffisante.	1	2	3	4	5

Source : Adapté de Simoneau (1994).

LA PRISE DE DÉCISION EN ÉQUIPE

Grille de correction

Dimensions	Total des énoncés	Divisé par le nombre d'énoncés	Moyenne
1. Collégialité *(énoncés 1à 10)*	( )	/10 =	_____
2. Croissance professionnelle *(énoncés 11 à 13)*	( )	/3 =	_____
3. Direction de l'école *(énoncés 14 à 20)*	( )	/7 =	_____
4. Incertitude *(énoncés 21 à 25)*	( )	/5 =	_____
5. Disponibilité *(énoncés 26 à 29)*	( )	/4 =	_____
6. Implication des enseignants *(énoncés 30 à 34)*	( )	/5 =	_____
7. Communication *(énoncés 35 à 37)*	( )	/3 =	_____
8. Prise de décision en équipe *(énoncés 1, 2, 3, 4, 9, 13, 17, 18, 28, 30, 31, 32, 33, 34, 37)*	( )	/15 =	_____

BIBLIOGRAPHIE

BARNEY, J.B. (1992). *The Management of Organizations : A Strategy, Structure, Behavior*, Boston, Houghton Mifflin Co.

DAFT, R. (1989). *Organization Theory and Design*, St-Paul, West Publishing Company.

GORDON, J. (1991). *Organizational Behavior*, Needham Heights, Allyn and Bacon.

JANIS, I.L. (1982). *Groupthink*, Boston, Houghton Mifflin Co.

JANIS, I.L. (1989). *Crucial Decisions, Leadership in Policy Making and Crisis Management*, New York, The Free Press.

KNEITNER, R. (1992). *Management*, Boston, Houghton Mifflin Co.

LAGADEC, P. (1991). *La gestion des crises*, Paris, McGraw-Hill.

SIMONEAU, B. (1994). *Identification du degré de présence des conditions préalables à l'implantation d'une stratégie de « gestion de l'école par la base » chez les enseignants et les directeurs d'école, tel que perçu par les enseignants*, Mémoire de maîtrise inédit, Trois-Rivières, Université du Québec à Trois-Rivières.

WAGNER III, J.A. et J.R. HOLLENBECK (1992). *Management of Organizational Behavior*, Englewood Cliffs, Prentice-Hall.

PROFESSIONNALISME DES ENSEIGNANTS

On ne joue pas en assistant à un jeu.

Proverbe baoulé

INTRODUCTION

Les expressions « changement » et « actions de changement » dans les organisations n'étaient pas appréciées il y a une décennie par les managers. On visait plutôt le maintien d'une structure administrative hiérarchique qui, supposait-on, avait fait ses preuves. Le plus souvent, les quelques tentatives de changement proposées dans les organisations se sont heurtées à l'interdit opposé par des structures stériles et à la manifestation des intérêts de pouvoirs isolés. Cette situation qui prévaut dans plusieurs organisations scolaires entraîne un manque d'innovation, d'autonomie et d'efficacité.

C'est ainsi que, des réflexions mûries des protagonistes de l'éducation, ont vu le jour la Loi 107 et, plus récemment, l'énoncé de politique éducative *L'école tout un programme* qui invite le monde scolaire à prendre le virage du succès. On y recommande vivement les changements positifs imposés par les conclusions des États généraux de l'éducation et les pressions extérieures exercées par la mondialisation des marchés et les scores d'excellence relevés dans des systèmes éducatifs où sont appliqués les principes de la restructuration scolaire. Suivant les revendications de la CEQ et un constat généralement accepté de la population, un consensus a été établi en vue de redorer l'image malmenée des enseignants et de la revaloriser dans une société qui, trop souvent, n'a de cœur et d'âme que pour certaines professions jugées plus lucratives. Il s'agit là de démarches capitales pour s'engager sur la voie de l'excellence en éducation. Comment alors s'y prendre afin que nos systèmes scolaires deviennent excellents ? Faire des enseignants de vrais professionnels est l'une des réponses les plus souvent entendues. Le professionnalisme des enseignants, qu'est-ce à dire ?

LE PROFESSIONNALISME : DÉFINITION

À partir du mot professionnalisme, on peut dégager les termes « profession » et « professionnel ». Selon le *Petit Robert*, « la profession est une occupation déterminée dont on peut tirer ses moyens d'existence ».

Selon Carbonneau (1993), au-delà d'une définition fondée sur l'histoire, Lemosse (1989) trouve deux types de définitions à la profession tout en attribuant leur paternité aux sociologues. Les premières, particulièrement descriptives, identifient les caractéristiques communes aux différentes professions reconnues, et les deux dernières décrivent bien le contexte pratique de la profession. Bon nombre d'auteurs (Myers, 1973 ; Goodlad, 1984 ; Berger, 1989 ; Lemosse, 1989) démontrent que les caractéristiques peuvent facilement dépasser la douzaine. Selon Carbonneau, (1993), quatre dimensions – l'acte professionnel, la formation, le contexte de pratique et l'insertion sociale – permettent de les regrouper.

Tout d'abord, l'acte professionnel nous révèle que la profession est caractérisée par un acte particulier comportant des activités intellectuelles et physiques de nature altruiste, menées sous forme de services. Ensuite, la formation consiste en l'éducation intellectuelle et morale du professionnel en considérant l'ensemble des connaissances théoriques et pratiques à acquérir et les moyens pour y parvenir. Le professionnel reçoit alors une longue formation universitaire et, le plus souvent, de nature scientifique. Puis, le contexte de pratique nous indique la manière autonome et responsable dont le professionnel exerce sa profession. Enfin, l'insertion sociale du professionnel s'effectue par le biais d'une association à identité forte. Il s'agit de corporations, d'ordres, qui ont un droit de regard exclusif sur la formation et l'accréditation de leurs membres, leur imposant un code d'éthique et garantissant leur statut social (Carbonneau, 1993).

L'occupation dont nous avons parlé plus tôt dans la définition est une fonction, ou encore un métier qu'une personne, que nous pouvons, par analogie, nommer professionnel, peut exercer. Le professionnel ou la professionnelle est, par conséquent, une personne de métier, un individu qualifié pour exercer un métier caractérisé par la maîtrise de certaines connaissances et des conditions de travail appropriées. Le professionnalisme serait donc le caractère professionnel d'une activité ou d'un ensemble d'activités reliées à une fonction ou à un emploi donné.

En poussant plus loin la définition, le professionnalisme des enseignants, pour Ross (1990), est la participation aux activités professionnelles ou l'implication des enseignants dans ces activités : « Le professionnalisme des enseignants passe donc par l'acquisition du pouvoir des enseignants, ce qui leur permet une certaine implication dans les activités de prise de décision de leur école, ce qui nécessairement confère une autonomie dans la fonction d'enseignement » (1990 : 3).

De manière plus explicite, Styskal (1974) affirme que le professionnalisme peut être expliqué suivant deux approches. Selon la première, professionnalisme et expertise sont définis comme une façon flexible, créative et équilibrée d'organiser le travail (Freidson, 1970). L'accent est mis sur l'orientation du service et de la collectivité. Dans ce cas, le professionnel est perçu comme un adhérant à un idéal dans lequel, selon Hage *et al.* (1970 : 33), « on trouve une dévotion pour l'intérêt des clients plutôt que pour le profit personnel ou commercial. L'idéal du service en vue de satisfaire le mieux possible les intérêts des clients. » De ce point de vue, le professionnel qui témoigne de ce type de professionnalisme s'engage entièrement dans l'organisation et accepte, par conséquent, tout changement pouvant améliorer tout ce qui touche le client, même si cela réduit son niveau de pouvoir, bien que le professionnel soit souvent conscient que ces changements peuvent, de façon sensible, rehausser sa position au sein de sa profession. C'est ce que Styskal (1974) nomme « la négation de soi ».

La deuxième approche préconise un modèle de soutien au changement du professionnalisme basé sur la théorie du libre-service. Dans cette dernière, le professionnalisme « est perçu comme étant un moyen d'assumer et de diriger les tâches professionnelles pour lesquelles on se sent qualifié plutôt que comme l'expression de la nature inhérente d'un emploi particulier» (Johnson, 1972: 45). La dimension importante du professionnalisme dans cette deuxième théorie est le pouvoir du contrôle de soi. L'individu n'est pas obligé de s'oublier pour les clients. Ces professionnels pensent que la participation des clients n'est ni importante, ni garantie (Styskal, 1974). C'est la connaissance, l'expertise du professionnel et la façon dont il les met en pratique qui comptent et c'est ce qui fait le professionnalisme et non la négation de soi dont parlent Freidson (1970) et Hage *et al.* (1970).

En résumé, le professionnalisme se définit comme un ensemble de normes universelles reliées aux aspects suivants:

- l'acquisition des connaissances exclusives;
- l'altruisme;
- l'expertise;
- l'acquisition du pouvoir de contrôle;
- l'implication dans le processus de décision.

Le professionnalisme est alors fonction de tous ces éléments d'où la fonction:

$$P = f (C + A + E + P + D)$$

LES ENSEIGNANTS SONT-ILS DES PROFESSIONNELS?

CARACTÉRISTIQUES D'UNE PROFESSION

Corwin et Borman (1987) définissent la profession comme un métier dont on a acquis le monopole légal et dont on est porteur de connaissances et d'expertise. Le professionnel dont on reconnaît l'expertise aura pour tâche de contrôler les performances des membres de son organisation qui sont sous sa tutelle, de diriger les activités de l'organisation et de régler les divers conflits pouvant survenir entre les attentes des professionnels de l'organisation et les politiques et pratiques de l'organisation (Duttweiler, 1988).

Perrenoud (1993: 61), pour sa part, parlera de rapport d'inclusion entre métiers et professions. Une profession est un métier qui a des caractéristiques particulières. Quelle que soit la liste des indicateurs, la profession

> *[…] définit un type idéal. Rares sont les métiers qui présentent au plus haut point toutes les caractéristiques d'une profession. Il semble plus nuancé dès lors de parler d'un degré de professionnalisation de chaque métier, sur une échelle allant de moins professionnalisés – les métiers d'exécution – au plus professionnalisés, les métiers de prise d'initiative, de décision et de résolution de problèmes complexes.*

En d'autres termes, étant donné que, dans la profession, on rencontre plus souvent que dans d'autres métiers des problèmes complexes et variés dont on ne connaît pas d'avance la solution, la profession exige non seulement des moyens intellectuels, mais une autonomie d'action, une méthode d'analyse rigoureuse et une image de soi acquises notamment par des formations initiale et continue particulières par leur niveau, leur durée, le type d'habitus professionnel et d'identité qu'elles forgent.

Etzioni (1969) et Bourdoncle (1991) diraient que l'enseignement est un métier semi-professionnel. Opinion que Perrenoud (1993) trouve bien statique. Selon lui, l'enseignement serait un métier en voie de professionnalisation, passant de l'application stricte des méthodologies, voire de recettes et de trucs, à la construction de démarches didactiques orientées globalement par les objectifs du cycle d'étude adaptés à la diversité des élèves, à leur niveau, aux conditions matérielles et morales du travail, aux modes de collaboration possibles avec les parents, à la nature de l'équipe-école et de la division du travail entre enseignants.

Les caractéristiques de la profession décrite par The Carnegie Task Force on Teaching as a Profession corroborent le travail du professionnel décrit ci-dessous. Une profession se caractérise par :

1. La liberté de faire ce pourquoi on a été formé et d'exprimer son opinion de façon professionnelle.

2. Un ensemble de connaissances propres à une profession.

3. Une formation universitaire rigoureuse.

4. Un désir de gain et des structures de salaire élevées en rapport avec l'amélioration des compétences des professionnels, de leur leadership et de leur productivité.

5. Une fonction dans un environnement où le soutien des employés et de l'organisation est là pour libérer les professionnels afin qu'ils puissent assumer les tâches dignes de leurs aptitudes et de leurs salaires.

6. Un contrôle de soi très élevé tenant compte des standards d'appartenance à la profession, de la profession dans la profession, et des examens qui prouveront de façon non équivoque que l'individu détient les compétences d'un professionnel (Duttweiler, 1988 : 99).

SITUATION DANS LES ÉCOLES

La situation qui prévalait dans les écoles tant américaines que canadiennes, et plus particulièrement québécoises, n'était pas, il y a une dizaine d'années, en faveur de la promotion de l'enseignement comme profession à part entière. Et pour cause. Les enseignants ne jouissaient pas de tous les avantages cités par The Carnegie Task Force. De nos jours, la situation semble s'améliorer avec la Loi 107 et le plan d'action ministériel pour la réforme de l'éducation, même s'il y a beaucoup de changements à apporter au niveau des mentalités tant chez les enseignants que chez les administrateurs scolaires.

Plusieurs chercheurs (Ross, 1990) aux États-Unis ne manquent pas d'affirmer que la crise de l'éducation est fonction de l'augmentation du pouvoir de l'État dans l'élaboration des programmes et de leur mise en œuvre par des enseignants. Ces programmes, conçus pour les enseignants dont la responsabilité première est de les dispenser aux élèves, sont élaborés, la plupart du temps, par des experts coupés de la réalité de l'école, de ses problèmes et qui ne connaissent pas grand-chose des besoins réels de l'enseignant et des élèves. L'accent est souvent mis sur la production de matériels didactiques rigoureux et systématiques (Ross, 1990) et qui ne laissent aucune marge de manœuvre aux enseignants pour leur révision et implantation dans les écoles. C'est seulement « ce dont l'État pense que l'enseignant a besoin que l'État lui fournit » dirait Duttweiler (1988 : 99). De surcroît, étant donné que ces programmes sont élaborés par des experts, les coûts sont très élevés, ce qui n'est guère sain sur le plan économique (Ross, 1990).

Dans ces circonstances, on en vient à se poser la même question que se sont posée plusieurs auteurs, tels que Clang (1978), Duttweiler (1988), Ross (1990), Sheed et Bacharach (1991) pour ne citer que ceux-là, à savoir si l'enseignement répond aux exigences d'une profession.

Les quelques observations qu'il est possible de faire révèlent, en quelque sorte, que les activités des enseignants des commissions scolaires, telles qu'elles sont menées, ne répondent pas aux exigences de la définition du professionnalisme présentée plus haut. En outre, plusieurs recherches menées au États-Unis (le parallèle étant souhaitable) relèvent que l'enseignement ne répond pas aux exigences d'une profession sur plusieurs plans à comparer à d'autres professions, comme celle de médecin, d'avocat, de chercheur ou d'artiste. « L'enseignement ne comporte pas les caractéristiques d'une vraie profession », dirait Duttweiler (1988 : 99).

Autorité et pouvoir

En jetant un regard critique sur le travail des enseignants dans les écoles primaires, il est facile de constater sans coup férir, toutes choses étant égales par ailleurs, qu'il y a des lacunes importantes en matière d'autorité et de pouvoir de décision, à comparer à la profession de médecin par exemple. Duttweiler (1988) pense qu'aux États-Unis peu d'enseignants jouissent de l'autorité, du statut et des conditions de travail dont peuvent se prévaloir les professionnels d'hôpitaux, les fonctionnaires, les professionnels du monde des affaires et même des secteurs publics. Il faut en retracer les causes dans le contrôle du gouvernement et des institutions scolaires, dans le contrôle des cadres des commissions scolaires et des directeurs, et surtout, selon Ross (1990), dans la complexité des écoles.

Si l'autonomie constitue la pierre angulaire de l'exercice d'une profession, la liberté d'exprimer son opinion de façon professionnelle devrait se greffer à l'autonomie et constituer dans toute sa splendeur, l'expression d'une sorte d'autorité et de pouvoir. Et dans les écoles, la liberté des enseignants de mettre en pratique leur jugement professionnel au service de la communauté est contrainte par un système bureaucratique qui leur dicte d'enseigner et quoi enseigner. Bien que formés pour transmettre des connaissances, qu'elles soient morales ou scientifiques, ils ne participent presque pas à l'élaboration des politiques scolaires, des programmes d'enseignement qui, naturellement, sont destinés aux élèves. Les enseignants ne contrôlent pas non plus les méthodes d'enseignement, la sélection des membres du personnel enseignant et encore moins leur formation ; les standards de performance professionnelle, la réglementation du comportement de l'enseignant dans sa classe par rapport aux élèves et à ses collègues sont hors du contrôle des enseignants dans les écoles (Corwin et Borman, 1987). Ils sont plutôt sollicités pour la scolarisation des élèves ; ils agissent comme instructeurs, conseillers et superviseurs dans les écoles.

Le rôle des enseignants se limite souvent aux aspects suivants :

- discipliner les élèves, résoudre les problèmes qui en découlent parfois et référer les cas irrécupérables à des spécialistes ;

- rendre compte du travail de la classe et observer les efforts, les attitudes favorables et défavorables des élèves en vue d'identifier les changements à y apporter ;

- informer les élèves sur les objectifs pédagogiques, la qualité et la quantité du travail à accomplir ;

- affecter et répartir les élèves dans les classes, si la direction le permet ;

- planifier, développer et organiser les leçons, les activités de groupe et les responsabilités de toute la classe ;

- enseigner aux élèves plusieurs techniques, en les incitant au travail en équipe, en élaborant des notes de cours, en les sanctionnant par des tests et examens ;

- donner des devoirs à la maison aux élèves afin de relever les progrès, et veiller à la correction de ces travaux, pour assurer le suivi pédagogique ;

- contrôler le comportement des élèves et les superviser en dehors de la salle de classe, comme à la cafétéria, dans les couloirs, dans la cour de récréation, aux arrêts d'autobus (Corwin et Borman, 1987 ; Duttweiler, 1988 ; Sheed et Bacharach, 1991).

Cependant, parmi cette multitude d'activités, on n'en retrouve aucune qui permette de comprendre comment l'enseignant utilise son pouvoir de décision pour élaborer ne serait-ce que les programmes qu'il enseigne à ses élèves. Son autorité ne se limite qu'à sa classe, à la vie de la classe, au contrôle des élèves et à l'enseignement à y donner. Raisons pour lesquelles, d'aucuns diront que le manque d'autorité des enseignants dans les sphères de fond est l'une des conditions les plus frustrantes du travail de ces exécutants des lois gouvernementales, dont la créativité n'est pas pleinement mise à contribution dans l'amélioration de l'apprentissage de tous les élèves de l'école.

Reconnaissance et valorisation

La profession d'enseignant est en manque de reconnaissance. Dans la réalité quotidienne, nul ne peut ignorer que le métier d'enseignant n'a de valeur intrinsèque que la fierté de l'enseignant pour avoir fait des élèves des citoyens responsables et participant à la vie sociale. Pour l'élite et la population en général, être enseignant ne revêt pas la même importance qu'être ingénieur ou médecin ; pourtant, à peu de choses près, ce ne sont pas deux sessions de cours supplémentaires ou, encore, quelques crédits supplémentaires que l'ingénieur ou le médecin ont obtenus qui les distinguent. C'est plutôt le prestige relié à ces deux professions ; c'est aussi le fait d'être membre d'une corporation forte et solide qui offre une certaine visibilité et qui fait de ses membres des professionnels. Ce manque de valorisation de la fonction d'enseignant fait partie des problèmes soulevés par la CEQ et le Conseil supérieur de l'éducation du Québec dans leur rapport sur la condition des enseignants au Québec.

Roueche et Baker (1986) considèrent que les enseignants aux États-Unis font partie des professionnels (même s'ils sont les meilleurs) les moins récompensés dans le secteur public surtout sous le rapport de l'environnement de travail qu'on leur procure et du travail qu'on leur confie. Pour Duttweiler, la reconnaissance d'un enseignant est intrinsèque. Elle est reliée à son sentiment d'efficacité, au soutien et au succès des élèves, à sa réalisation professionnelle, à la satisfaction procurée par les services offerts et au respect témoigné par les collègues et les supérieurs à son endroit (Bird, 1984). Les reconnaissances extrinsèques, convoitées en toute légitimité par les autres professionnels, telles que le travail dans un milieu confortable et humain, le soutien approprié du travail de bureau, les récompenses ou reconnaissances pour les performances sortant de l'ordinaire, les occasions de promotions pour de plus grandes responsabilités, un salaire convenable et la confiance, ne sont pas envisageables pour les enseignants (Carnegie Task Force on Teaching as a Profession, 1986).

Milieu de travail professionnel défavorable

L'environnement dans lequel travaillent les enseignants comporte des caractéristiques résumées de la façon suivante :

1. Les enseignants formés pour scolariser les élèves, leur enseigner des programmes élaborés par d'autres, travaillent dans un milieu où les problèmes d'indifférence, de monotonie et d'incohérence sont présents et ils n'y sont pas suffisamment préparés (Timar et Kirp, 1987).

2. Les enseignants vivent isolés dans leurs classes, privés de toute incitation à la collégialité et même au partenariat. Le soutien des pairs, encouragé au sein des autres corporations professionnelles, n'est nullement stimulé dans les écoles (Duttweiler, 1988 : 102).

3. On exige d'eux de se comporter comme des professionnels mais on ne les traite pas comme tel. Ils sont les moins payés et, pour comble, ils sont traités comme des subordonnés qui n'ont pas voix au chapitre lors de la prise de décisions importantes.

4. Les ressources et les soutiens au processus éducatif tels que les suppléances, le matériel didactique, le service d'aide et le temps alloué aux enseignants sont insuffisants pour qu'ils puissent bien performer et atteindre l'excellence.

5. Les enseignants participent rarement aux discussions et aux décisions importantes qui touchent l'essence même du travail qu'ils font. Ils ne bénéficient d'aucun pouvoir de décision et sont l'objet de résistance des administrateurs par rapport au partage du pouvoir (ASDC Update, 1988).

6. La période d'enseignement est diminuée à cause d'une mauvaise administration, des interruptions, de la paperasserie, des demandes bureaucratiques et des discussions inutiles.

7. Les enseignants n'ont pas assez de contrôle sur les programmes de perfectionnement, de formation et de sélection d'autres enseignants.

8. Les enseignants n'ont pas assez d'occasions pour élaborer un plan de carrière.

9. L'école n'encourage pas la collaboration par son organisation et son administration. Il n'y a aucun processus d'autodirection, d'auto-contrôle, d'auto-évaluation et d'autorévision. Toute initiative des enseignants visant l'autodétermination est source de conflits entre ceux-ci et les tenants de la bureaucratie et de l'administration centralisée (ASDC Task Force on Merite Pay and Career Ladders, 1985).

Nous avons fait mention, dans les pages précédentes, d'une constatation importante : les enseignants ne sont pas traités comme des professionnels, car ils ne jouissent pas d'une liberté d'expression de leur opinion professionnelle, d'un niveau d'autorité et de pouvoir de décision assez important, d'une reconnaissance financière et morale suffisante, d'un prestige à tout rompre ni d'un milieu de travail invitant. Ces conditions sont à l'origine de la non-satisfaction, de la démotivation et de l'épuisement professionnel des enseignants dans les écoles. Chapman et Lowther (1982) sont d'avis que les problèmes moraux et psychiques dont souffrent les enseignants sont étroitement liés aux facteurs internes aux organisations scolaires tels que l'absence d'occasions promouvant la croissance personnelle, la formation professionnelle et la prise en charge de responsabilités d'autoleadership. Ces problèmes moraux sont reliés aux pressions bureaucratiques et à l'image publique négative qu'on a des enseignants (Duttweiler, 1988).

Pour Schwab et Schuler (1986), l'épuisement professionnel provient du fait que les enseignants n'assument aucun rôle dans le processus de prise de décision, ne contrôlent pas les décisions prises et ne s'impliquent pas dans leur mise en œuvre, et le bât blesse d'autant plus que ces décisions les concernent en grande partie.

De plus, les études faites au Québec par la CEQ ont levé le voile sur la démotivation et le «burnout» des enseignants. Pour la présidente de la CEQ, la reconnaissance et la valorisation «sont un élément clé de la motivation et de la mobilisation des enseignants. C'est même un élément déterminant de leur état de santé mentale. » (Lévesque, 1992 : 15)

En résumé, nous pouvons dire que les enseignants détiennent :

– un niveau très faible d'autorité ou plutôt, n'en disposent presque pas dans l'exercice de leurs fonctions ;

– un emploi qui comporte peu de charme, qui n'a pas le statut dont jouissent les autres professions (Corwin et Borman, 1987 ; Duttweiler, 1988 ; Lévesque, 1992) ;

– une image malmenée, dévalorisée (Lévesque, 1992) ;

– des conditions de travail que les autres professionnels ne peuvent même pas envier ;

– un niveau élevé de précarité en emploi (Goodlad, 1984) ; 40 à 45 % des enseignants détiennent un statut précaire, ne savent pas pendant des années ce que le sort leur réserve. Selon Savard, cité par Lévesque, «Comment peut-on espérer qu'un enseignant soit motivé à investir dans son métier quand, pendant des années, il ne sait pas ce qu'il va enseigner, ni la tâche qui lui sera confiée, ni même s'il aura un emploi ? » (1992 : 15) ;

– un emploi largement fragmenté qui les isole, qui ne favorise pas l'échange entre pairs, qui n'encourage nullement la collégialité et l'esprit de partenariat (Lortie, 1975 ; Boyer, 1983 ; Goodlad, 1984) ;

– une formation initiale non adaptée aux bouleversements sociaux, aux innovations nouvelles (Sheed et Bacharach, 1991 ; Lévesque, 1992) ;

– un manque de formation continue ;

- peu de chance de promotion et de variation de leur cheminement de carrière (Lévesque, 1992) ;
- un emploi sous-payé pour un travail hebdomadaire de plus de 50 heures (Sheed et Bacharach, 1991) ;
- un taux de non-satisfaction et de « burnout » élevé (Duttweiler, 1988 ; Sheed et Bacharach, 1991 ; Lévesque, 1992) ;
- un niveau très faible de liberté pour s'exprimer et participer à la prise de décisions.

FAIRE DES ENSEIGNANTS DES PROFESSIONNELS

RESTRUCTURATION EN PROFONDEUR EN VUE DE L'EXCELLENCE

Lorsqu'on définit la restructuration comme un changement en profondeur, un changement des relations qui existent entre les organisations, un changement des relations intérieures et extérieures à l'organisation, on se rend compte qu'elle touche les fondements de l'école et les conditions professionnelles des enseignants. Elle entraîne, en outre, un changement dans les procédures et les structures d'autorité et de prise de décision, un changement également dans les relations entre l'école et le personnel et entre l'école et la communauté (David, 1989 ; Elmore, 1990).

Revaloriser le travail des enseignants

Dans son rapport annuel sur l'état et les besoins de l'éducation, *La profession enseignante : vers un renouvellement du contrat social*, le Conseil supérieur de l'éducation (1993) propose, entre autres objectifs, non seulement la professionnalisation de l'enseignement, mais aussi, une revalorisation du travail de l'enseignant. Pour une revalorisation soutenue, il serait souhaitable de :

- Reconnaître et faire reconnaître par des actions positives que « le fait enseignant » est une dynamique très importante dans la formation des peuples, étant donné que c'est sur les enseignants [et leur travail] que la société mise pour la réussite éducative des jeunes.
- Démontrer l'ampleur du travail des enseignants. Les enseignants travaillent plus de 50 heures par semaine et c'est un travail harassant.

- Établir des standards professionnels que chaque enseignant devra atteindre, comme on le fait surtout dans le système français avec des examens professionnels. Toute profession qui exige l'expression de l'opinion et une garantie de la qualité totale ou de l'excellence doit adhérer à l'instauration de standards professionnels élevés. L'atteinte de ces standards peut être sanctionnée par des diplômes du MEQ qui confèrent aux enseignants une certaine confirmation de leur aptitude et une notoriété dans le domaine.
- Réaliser le besoin de diminuer le nombre d'élèves par classe. Les enseignants se retrouvent parfois, selon la CEQ, avec un effectif de « 28 à 32 élèves par classe et ont affaire, en plus de cela, à plusieurs groupes ainsi qu'à des enfants en difficulté qu'ils doivent intégrer dans les classes régulières » (Lévesque, 1992 : 15).
- Intégrer de plus en plus d'enseignants dans les circuits scolaires afin qu'ils se familiarisent avec les problèmes de la réalité scolaire et alléger la tâche des enseignants dont l'effectif est lourd. Selon Pagé, ancien ministre de l'Éducation, il est important de « permettre aux enseignants expérimentés de quitter progressivement et de laisser leur " héritage " aux nouveaux. Ceux-ci entrant plus graduellement dans l'enseignement, un ou deux jours à la fois, seraient mieux préparés aux nouvelles réalités. » (Lévesque, 1992)
- Améliorer et adapter la formation initiale des enseignants à la lueur des changements majeurs imposés par la mondialisation.

   La formation initiale doit être basée sur ces éléments nouveaux de la vie scolaire. Ne vaudrait-il pas mieux former des enseignants spécialisés en deux ou trois matières et les faire intervenir dans différentes classes, ou encore orienter la formation de telle sorte qu'ils maîtrisent les matières de base (Lévesque, 1992 : 25) ?
- Bannir les effets de la bureaucratisation négative des institutions scolaires en acceptant que les enseignants ne soient plus des spectateurs, mais des constructeurs, en ce qui concerne les programmes et politiques les touchant de près. Il faut alors accepter la participation des enseignants dans les processus de prise de décision. Pour cela, il va sans dire qu'un changement de mentalité doit s'opérer chez les enseignants d'abord, et ensuite, chez les administrateurs autocratiques, habitués de gérer à leur manière.
- Décentraliser afin de motiver davantage les enseignants à faire leur travail, à accroître leur implication dans la prise de décision, à attirer et à retenir les professionnels les plus créatifs et sincères dans la profession d'enseignant.

Introduire dans l'école
un style de management participatif

On peut convenir avec Corwin et Borman (1987) que le professionnalisme est une des solutions aux problèmes qui font obstacle à l'atteinte de l'excellence dans les écoles, et qu'il est relié au management participatif (Duttweiler, 1988) et à la prise de décision. Le management participatif est un concept qui a été introduit dans la culture des organisations des années 1980, dans le but d'intégrer aux processus de décision les employés qualifiés dotés d'un esprit d'initiative, et qui auraient été écartés de ces processus par la bureaucratisation des organisations.

Le management participatif, en conférant aux enseignants un certain niveau de pouvoir, leur permet de participer à l'élaboration des décisions qui les concernent, leur donne une plus grande autonomie et un meilleur contrôle de ces décisions, accroît leur motivation et les rend plus efficaces.

Faciliter l'accès au pouvoir pour les enseignants : conditions

1. Il faut rendre les enseignants capables d'autodétermination :
   - en leur faisant prendre conscience de leur pouvoir ;
   - en croyant en leur autodétermination ;
   - en instaurant un programme de formation spécialisée qui tienne compte des besoins des enseignants réguliers et des suppléants pour améliorer l'apprentissage des élèves ;
   - en développant des modèles de consultation entre enseignants. Ceux-ci peuvent assister leurs collègues dans leur classe et se servir de leurs habiletés dans leur enseignement. Selon ce modèle, les enseignants les plus expérimentés et spécialisés dans une matière pourront donner des leçons-modèles, se faire assister par les autres ou présenter des conférences sur des thèmes précis. Cette façon de procéder favorisera l'émergence d'un esprit de collégialité.
2. Il faut amener les enseignants à devenir des apprenants et que cet apprentissage se fasse en coopération.
3. Il faut introduire, dans les programmes, des activités qui mettent l'accent sur les thèmes spécifiques multidisciplinaires afin d'élargir l'horizon des enseignants et de développer leurs aptitudes.

Susciter la motivation et la satisfaction des enseignants

Il est important de souligner que les réformes d'enseignement ont toujours eu tendance à porter moins d'attention aux facteurs qui contribuent à accroître la motivation et la satisfaction et à établir ou à améliorer les conditions de travail des enseignants.

On doit, pour ce faire, donner aux enseignants la possibilité d'exercer leur jugement professionnel. Comme chacun le sait, enseigner est loin d'être un travail routinier. C'est un travail d'action, d'innovation, de changement, une tâche qui exige que l'enseignant soit à l'affût des plus récentes découvertes ayant trait à l'enseignement. Aucune méthode, aucun programme scolaire ne garantit à 100% la réussite des sujets auxquels il est destiné. Le succès de l'enseignant qui, si l'on se fie à ce qui se passe à l'heure actuelle dans les écoles, applique des programmes conçus par des « experts » sans tenir compte des problèmes de l'école ne tient pas uniquement au fait d'enseigner à partir de ces programmes, mais surtout, au fait de les adapter aux besoins des élèves de sa classe. La probabilité de réussite augmente donc quand l'enseignant fait appel à son jugement et à son sens professionnel (Wise, 1988).

Pour faire des enseignants de véritables professionnels, il faut aussi leur donner plus de droits et plus de responsabilités. Ils doivent travailler en collaboration avec les directeurs, les administrateurs, et avoir le droit de se prononcer sur les questions les touchant de près, comme l'utilisation de matériels didactiques, de documents de travail, de méthodes pédagogiques, l'organisation de la journée de travail, l'affectation des élèves, les spécialistes auxquels on doit recourir et le budget accordé à l'école (Carnegie Task Force on Teaching as a Profession, 1986; Duttweiler, 1988; Sergiovanni, 1992).

On doit également:
- leur verser un salaire à la mesure de l'ampleur de la tâche qu'ils accomplissent;
- leur fournir un bureau de travail, des équipements de bureau, des documents de travail qui portent sur les nouvelles découvertes technologiques, les innovations, les nouvelles méthodes d'enseignement, un milieu de travail propre et sain;
- leur laisser beaucoup de temps pour échanger avec les collègues, pour apprendre d'eux et pour préparer leurs cours;

– favoriser l'esprit de collégialité et combattre l'esprit de bureaucratie, d'isolation, de compétition ;
– stimuler le développement de soi ;
– mettre au point des structures et des procédures.

Établir des conditions de travail propres à un environnement professionnel

Duttweiler (1988) décrit un environnement professionnel comme un milieu où les enseignants disposent de beaucoup de temps pour réfléchir, planifier et discuter entre eux sur les innovations et sur les problèmes qui peuvent se poser dans l'accomplissement de leur travail. En tenant compte des remarques faites par les enseignants de la CEQ et l'ex-ministre Pagé, il semble nécessaire :

– de réduire la charge de travail des enseignants et de les dégager des tâches qui ne relèvent pas de l'enseignement, permettant ainsi aux enseignants d'expérimenter leurs nouveaux acquis pédagogiques, d'avoir un feed-back sur leurs initiatives et leurs performances,
– d'établir des moyens de reconnaissance publique afin de revaloriser les enseignants et de mettre en place une politique de récompenses,
– d'impliquer les enseignants dans la prise de décisions qui les concernent et de favoriser leur participation à l'application de ces décisions.

CONCLUSION

Aux termes de ce chapitre, nous pensons que le professionnalisme a un rôle important à jouer dans la réorganisation scolaire. Il repose sur l'acquisition de connaissances sur l'expertise, sur le management participatif et sur la participation de l'enseignant aux activités décisionnelles et à la mise en œuvre des décisions. Cependant, force est de constater, par les recherches faites sur le sujet par les chercheurs et professionnels eux-mêmes, que ce soit aux États-Unis ou au Québec, que les enseignants ne jouissent pas des conditions qu'on peut observer en considérant la situation des autres professionnels. Afin de les revaloriser, de les rendre plus professionnels, il faut leur donner la possibilité de participer à tout ce qui a trait au fait enseignant et reconnaître leur formation et leur expertise.

INSTRUMENT *Les enseignants se considèrent-ils comme des professionnels? L'instrument proposé permet d'évaluer leur capacité collective d'auto-organisation dans le cadre de leur travail.*

Pour interpréter le questionnaire d'évaluation du professionnalisme de l'enseignant:

1. *Identifier, pour chacun des énoncés, le nombre d'espaces entre les deux chiffres encerclés.*

   Exemple: ⑤ *4   3   2   1   5   4   3   2* ①

   (8 espaces entre les chiffres encerclés)

2. *Lorsque le nombre d'espaces pour l'une ou l'autre des caractéristiques est de 6 et + vous pouvez considérer qu'il y a un fort besoin d'amélioration au regard de cet énoncé.*

PROFESSIONNALISME DES ENSEIGNANTS

Importance et satisfaction

**Pour chacun des aspects reliés à votre travail,
vous avez à effectuer deux jugements :**

1. Vous évaluez le niveau d'*importance* des caractéristiques présentées
en encerclant un chiffre de 5 à 1 :

   5 = très important ;   4 = important ;   3 = un peu important ;

   2 = très peu important ;   1 = pas important.

2. Vous indiquez votre degré de *satisfaction* par rapport à ces caractéristiques
dans votre emploi en enclerclant un chiffre de 5 à 1 :

   5 = très satisfait ;   4 = plutôt satisfait ;   3 = modérément satisfait ;

   2 = un peu satisfait   1 = pas du tout satisfait.

		Importance	Satisfaction
1.	Je participe aux discussions et aux décisions importantes touchant l'essence même de mon travail.	5 4 3 2 1	5 4 3 2 1
2.	Dans mon travail, j'ai la liberté d'exprimer mon opinion sur le plan professionnel.	5 4 3 2 1	5 4 3 2 1
3.	Dans mon école, j'ai un certain contrôle dans l'élaboration des programmes que j'enseigne aux élèves.	5 4 3 2 1	5 4 3 2 1
4.	J'exerce, dans mon travail, un contrôle sur les techniques d'enseignement que j'utilise.	5 4 3 2 1	5 4 3 2 1
5.	Comme enseignant, j'apporte ma contribution au développement d'une démarche didactique adaptée à la diversité des élèves.	5 4 3 2 1	5 4 3 2 1
6.	Je travaille dans un milieu confortable et humain et je reçois un soutien technique approprié (matériel didactique, bureau de travail, personnel de support, etc.).	5 4 3 2 1	5 4 3 2 1
7.	Je suis satisfait de mon environnement et de mes conditions de travail.	5 4 3 2 1	5 4 3 2 1
8.	J'accepte d'être observé par les autres dans ma pratique d'enseignement.	5 4 3 2 1	5 4 3 2 1
9.	J'exerce un contrôle sur les standards de performance et sur la réglementation du comportement d'un enseignant dans sa classe par rapport aux élèves.	5 4 3 2 1	5 4 3 2 1
10.	J'accepte d'examiner ma pratique d'enseignement de façon critique.	5 4 3 2 1	5 4 3 2 1

	Importance	Satisfaction

11. Dans mon école, je partage avec mes collègues les ressources ou les techniques développées dans ma classe.   5 4 3 2 1   5 4 3 2 1

12. Mon école favorise les initiatives de son personnel enseignant.   5 4 3 2 1   5 4 3 2 1

13. J'ai l'occasion de participer à l'élaboration des politiques de mon école.   5 4 3 2 1   5 4 3 2 1

14. Dans l'enseignement, je retrouve un ensemble de connaissances qui ont trait de manière spécifique à ma profession d'enseignant.   5 4 3 2 1   5 4 3 2 1

15. Dans mon travail, j'ai la liberté d'exprimer mes jugements professionnels.   5 4 3 2 1   5 4 3 2 1

16. Je suis autonome dans mon travail et j'exerce un contrôle sur mes activités.   5 4 3 2 1   5 4 3 2 1

17. Dans mon travail, je peux résoudre des problèmes complexes.   5 4 3 2 1   5 4 3 2 1

18. Dans mon travail, je dispose de temps pour la réflexion, la planification, la discussion entre collègues sur les innovations et sur les problèmes rencontrés.   5 4 3 2 1   5 4 3 2 1

19. Comme enseignant, je retrouve un environnement où le soutien des collègues et de l'organisation est disponible.   5 4 3 2 1   5 4 3 2 1

20. Chez mes collègues de travail, je retrouve une volonté commune d'atteindre une performance élevée.   5 4 3 2 1   5 4 3 2 1

21. Pour effectuer mon travail d'enseignant, j'ai reçu une formation universitaire rigoureuse.   5 4 3 2 1   5 4 3 2 1

22. Je considère que mon développement professionnel fait partie intégrante de mon travail d'enseignant.   5 4 3 2 1   5 4 3 2 1

23. Je lis régulièrement sur des sujets relatifs à l'éducation et à l'enseignement.   5 4 3 2 1   5 4 3 2 1

24. Je m'inscris régulièrement à des cours ou ateliers de perfectionnement en relation avec mon travail.   5 4 3 2 1   5 4 3 2 1

25. Les standards d'appartenance à la profession enseignante sont élevés.   5 4 3 2 1   5 4 3 2 1

26. Dans mon travail, j'accomplis des tâches dignes de mes aptitudes et de mon salaire.   5 4 3 2 1   5 4 3 2 1

27. Dans ma profession, je retrouve des structures de salaire élevées qui correspondent à ma compétence et à ma productivité.   5 4 3 2 1   5 4 3 2 1

	Importance	Satisfaction
28. Dans mon milieu, il existe des structures de reconnais-sance publique visant à valoriser le travail des enseignants.	5 4 3 2 1	5 4 3 2 1
29. L'image de ma profession dans le public est positive.	5 4 3 2 1	5 4 3 2 1
30. Je suis préoccupé de la satisfaction des besoins de mes élèves et j'accepte tout changement qui pourrait amé-liorer leur apprentissage.	5 4 3 2 1	5 4 3 2 1

BIBLIOGRAPHIE

ASCD TASK FORCE ON MERIT PAY AND CAREER LADDERS (1985). *Incentives for Excellence in America's School*, Alexandria, Association for Supervision and Curriculum Development.

ASCD UPDATE (1988). *Restructured Schools : Frequently Invoked, Rarely Defined*, 1 (1).

BENSON, M. et P. MALONEY (1987). « Teacher Beliefs about Shared Decision-Making and Work Alienation », *Education*, 107 (3), 244-249.

BERGER, G. (1989). « Éléments de réflexion pour les dynamiques de changements dans la formation des enseignants », *Recherche et Formation*, 6, 9-22.

BIRD, T. (1984). « School Organization and the Rewards of Teaching », *Education Commission of the States*, Denver.

BOURDONCLE, R. (1991). « La professionnalisation des enseignants : analyses sociologiques anglaises et américaines », *Revue Française de Pédagogie*, 94, 73-92.

BOYER, E.L. (1983). *High School : A Report on Secondary Education in America*, New York, Harper and Row.

CARBONNEAU, M. (1993). « Modèles de formation et professionnalisation de l'enseignement : analyse critique de tendances nord-américaines », *Revue des Sciences de l'Éducation*, 19 (1), 33-58.

CARNEGIE FORUM ON EDUCATION AND THE ECONOMY (1986). *A Nation Prepared Teachers for the 21th Century*, Hyattsville, Carnegie Forum on Education and the Economy.

CARNEGIE TASK FORCE ON TEACHING AS A PROFESSION (1986). *A Nation Prepared Teachers for the Twenty-First Century*, New York, Carnegie Forum on Education and the Economy.

CARNEGIE TASK FORCE ON TEACHING AS A PROFESSION (1986). *The Report for the Task Force on Teaching as a Profession of the Carnegie Forum on Education and the Economy*, Hyattsville, Carnegie Forum on Education and the Economy.

CHAPMAN, D. et M. LOWTHER (1982). «Teachers' Satisfaction with Teaching», *Journal of Education Research*, 75, 241-247.

CLANG, J. (1978). «From Bureaucracy to Professionalism: An Essay on the Democratisation of School Supervision in the Early Twentieth Century», Allocution présentée au colloque annuel de l'American Education Studies Association, Washington, ERIC ED, 168-169.

CORWIN, R.G. et K.M. BORMAN (1987). «School as a Workplace: Structural Constraints on Administration», dans BOYAN, N.J. (dir.), *Handbook of Research on Educational Administration*, New York, Longman, 209-237.

DAVID, J.L. (1989). «Synthesis of Research on School-Based Management», *Educational Leadership*, 5, 45-53.

DUTTWEILER, P.C. (1988). «Organizing for Excellence», ERIC, Office of Educational Research and Improvement, ED 333 527, 167 p.

ELMORE, R.F. (1990). *Restructuring Schools: The Next Generation of Educational Reform*, San Francisco, Jossey-Bass Publishers.

ETZIONI, A. (1969). *The Demi-Professions and Their Organization: Teachers, Nurses, Social Workers*, New York, The Free Press.

FILLION, L.J. (1989). «Le développement d'une vision: un outil stratégique à maîtriser», *Gestion*, 14 (3), 1-36.

FREIDSON, E. (1970). «Dominant Professions, Bureaucracy, and Client Practices», dans ROSENGREN, William R. et Mark LEFTON (dir.), *Organizations and clients*, Columbus, Ohio, Merrill, 37-69.

GOODLAD, D.J.I. (1984). *A Place Called School*, New York, McGraw-Hill.

HAGE, J. et M. AIKEN (1970). *Social Change in Complexe Organizations*, New York, Random House.

JOHNSON, T.J. (1992). *Professions and Power*, London, MacMillan.

LEMOSSE, M. (1989). «Le professionnalisme des enseignants: le point de vue anglais», *Recherche et Formation*, 6, 55-66.

LÉVESQUE, L. (1992). «Michel Pagé veut redorer l'image des enseignants», *Le Nouvelliste*, Trois-Rivières, mardi 20 octobre, p. 25.

LÉVESQUE, L. (1992). «Revalorisation des profs: les moyens concrets attendus», *Le Nouvelliste*, Trois-Rivières, mercredi 21 octobre, p. 15.

LORTIE, D.C. (1975). *School Teachers : A Sociological Study*, Chicago, University of Chicago Press.

MYERS, D.A. (1973). *Teacher Power-Professionalization and Collective Bargaining*, New York, Lexington Books.

PERRENOUD, P. (1993). « Formation initiale des maîtres et professionnalisation du métier », *Revue des Sciences de l'Éducation*, 19 (1), 59-76.

PERRON, M., C. LESSARD et P.W. BÉLANGER (1993). « La professionnalisation de l'enseignement et de la formation des enseignants : tout a-t-il été dit ? », *Revue des Sciences de l'Éducation*, 19 (1), 5-32.

PIERRE, L.C. (1980). « School Base Management : Improve Education by giving Parenty Principal More Control of your School », *American School Board Journal*, 166 (7), 20-21, 24. EJ 204 749.

ROSS, E.W. (1990). « Teacher Empowerment and the Ideology of Professionalism », Allocution présentée au congrès annuel du New York State Council for the Studies, ED 323 198 ERIC,13 p.

ROUECHE, J.E. et G.A. BAKER (1986). *Profiling Excellence in America's School*, Arlington, American Association of School Administrator.

SCHWAB, R.L. et R.S. SCHULER (1986). « Educator Burnout : Sources and Characteristics », *Educational Research Quarterly*, 10 (3), 14-30.

SERGIOVANNI, T. (1992). *Moral Leadership : Getting to the Heart of School Improvement*, San Francisco, Jossey-Bass Publishers.

SHEED, B.J. et S.B. BACHARACH (1991). *Tangled Hierarchies : Teachers as Professionals and the Management of School*, San Francisco, Jossey-Bass Publishers.

STYSKAL, R.A. (1974). « Political Science Methodology in Evaluation : Power, Professionalism and Organizational Commitment in TTT », Allocution présentée au colloque annuel de l'American Educational Research Association, Chicago, Illinois, ERIC ED 100 843.

SYKES, G. (1985). « Teacher Education in the United States », dans CLARK, B.R. (dir.), *The School and the University*, Berkeley, University of California Press, 264-289.

TIMAR, T. et D.L. KIRP (1987). « Educational Reform and Institutional Competence », *Harvard Educational Review*, 57 (3), 308-330.

WISE, A.E. et L. DARLING-HAMMOND (1987). *Lisingteachers : Design for a Teaching Profession*, Santa Monica, The Rand Corporation.

8

LE PARTENARIAT

Il n'est de fertile que la grande collaboration de l'un à travers l'autre. Et le geste manqué sert le geste qui réussit. Et le geste qui réussit montre le but qu'ils poursuivaient ensemble à celui qui a manqué le sien.

Antoine DE SAINT-EXUPÉRY

INTRODUCTION

De plus en plus, la notion d'école-milieu s'implante dans les organisations scolaires. D'ailleurs, les programmes universitaires en éducation accordent une place importante à ce tandem dont ils se chargent d'inculquer les éléments constitutifs aux futurs professionnels de l'éducation afin de les préparer à travailler de concert avec leur milieu. On ne peut que constater que ce tandem vit et évolue au rythme du partenariat, qui préconise le rapprochement entre l'institution scolaire et les milieux sociaux, économiques, politiques et culturels. Le Rapport annuel (1991-1992) du Conseil supérieur de l'éducation, qui traite de la gestion de l'éducation, invite l'école à s'ouvrir à un partenariat interne et externe plus actif, partenariat rendu nécessaire dans ce monde moderne, non seulement à cause de la rareté des ressources, mais aussi à cause de la complexité des problèmes à résoudre (CSE, 1993).

En effet, on a recours au partenariat dans divers domaines : politiques, économiques, médicales, sociales, administratifs et, notamment, scolaires. Les décideurs scolaires se rendent compte que l'heure est à la collaboration, à l'implication, à l'engagement, à la mise en commun des savoirs, des savoir-faire, des savoir faire faire et des savoir-être ; car, comme le monde évolue à un rythme effarant, tout le monde est d'accord là-dessus, il faut effectuer un rapprochement sans précédent entre la formation et la production, autrement dit, entre l'école et les milieux malheureusement encore fort distants. Malgré tout, nous ne saurions prétendre que le partenariat soit une panacée. Bien sûr, on ne peut l'imposer par décret. Il se construit, d'abord et avant tout, par des acteurs soucieux du bien-être de leur école, et, une fois établi, il règle bon nombre de problèmes.

DÉFINITION

Parler de partenariat présuppose qu'il y a non seulement une volonté de réaliser un projet à lancer, à mener, à construire de toutes pièces par des partenaires ou des gens qui s'y consacrent pleinement, mais aussi une vision qui modèle leurs attitudes. Cela nous amène à énoncer que le partenariat nécessite une structure organisée d'individus volontaires, animés de l'engagement à construire. Ces gens partagent les mêmes objectifs, les mêmes missions, la même confiance ; issus de milieux ou d'organisations différents, ils se rallient autour d'un même but en assumant des responsabilités différentes.

De façon générale, le partenariat est défini comme une collaboration entre l'école, d'une part, et les entreprises, les industries, les syndicats, les gouvernements et les organismes communautaires, d'autre part. Il est le fruit d'une entente bipartite ou multipartite, dans le but de réaliser certains objectifs à l'aide de moyens raisonnables. Allant dans le même sens, mais de manière plus explicite, la Chambre de commerce du Canada (1990) estime que certains partenariats regroupent les conseils scolaires et une centaine d'élèves. D'autres mettent en valeur l'association entre une entreprise privée et une seule classe d'élèves ou même des élèves pris individuellement. Les partenariats servent les entreprises et les industries avec la mise sur pied d'activités conjointes comme la formation de salariés en cours d'emploi, l'utilisation d'installations, l'exécution de projets sous la direction d'élèves, la mise au point de logiciels ou la réalisation d'études de marché.

Pour Susjansky (1991), on parle de partenariat dans une organisation, lorsque cette dernière parvient à satisfaire ses besoins et que tous ses membres travaillent ensemble, partagent la même vision afin d'atteindre les mêmes buts et, surtout, d'avoir du succès ensemble et de s'épanouir. Le partenariat établi un rapport égalitaire et équitable entre des individus différents par leur nature, leurs responsabilités, leurs idées, leurs valeurs. Dans cette relation, les individus qui assument des responsabilités différentes, mais jugées également essentielles, se respectent mutuellement et reconnaissent la contribution de chacun à la cause commune. L'objet du partenariat est la création et la réalisation conjointes de projets.

Dans le partenariat école-milieu :

- il y a formation, sur une base volontaire, d'une équipe de partenaires composée du personnel de l'école et des gens du milieu ;
- ces derniers élaborent une vision commune, décident de se soutenir mutuellement et d'être au service de l'école ;
- ils se font confiance mutuellement ;
- ils expriment leurs idées de façon simple et directe ;
- ils discutent honnêtement de la façon dont chaque décision doit être prise ;
- ils demandent, sans ambages, l'assistance des autres partenaires ;
- ils se respectent et s'apprécient mutuellement ;
- ils œuvrent à l'intégration, à la puissance et à la valorisation de chacun ;
- ils oublient les mésententes et les oppositions ;
- ils atteignent ensemble les objectifs fixés.

RESSOURCES NÉCESSAIRES AU PARTENARIAT

Le partenariat dont il est question dans ce chapitre vise le tandem école-milieu. Cela nous amène à préciser le rôle de l'école en tant que moteur du partenariat. De surcroît, toutes les ressources susceptibles d'y promouvoir l'esprit d'équipe et la réalisation de projets sont sollicitées. Généralement, elles se répartissent dans deux groupes. D'un côté, l'école regroupe le directeur, les enseignants, le personnel non enseignant, les élèves de tous les niveaux, les parents, le comité de parents et la commission scolaire. De l'autre, le milieu comprend les ressources du secteur primaire (agriculture, ressources naturelles, etc.), les ressources du secteur secondaire (les industries de tout genre), les ressources du secteur tertiaire (commerce, transport, communication, tourisme), les ressources du secteur parapublic (santé et services sociaux, éducation, culture, etc.).

AVANTAGES DU PARTENARIAT

Le partenariat signifie non seulement la mise en commun des ressources, mais aussi le partage du pouvoir et des rôles. Il offre de nombreux avantages ; il permet :

- d'ouvrir, de manière plus significative, l'école au milieu et de l'associer aux partenaires de grande envergure ;
- de mettre à profit la compétence de chaque ressource intervenant dans le projet ;
- de faire des économies en matière d'énergie et d'argent, évitant les chevauchements où chacun refait les mêmes choses, chacun de son côté ;
- de développer l'esprit de créativité dans la recherche de solutions et l'esprit de dynamisme pour l'exploration de sentiers inexplorés ;
- de créer de nouveaux modèles à offrir aux jeunes ;
- de garder les forces vives et innovatrices de son milieu ;
- de permettre aux élèves d'apporter des changements visibles et tangibles dans la société ;
- de développer l'esprit d'appartenance, la motivation intrinsèque et extrinsèque de tous les tenants des projets de partenariat ;
- d'accroître la visibilité de l'école.

ÉLÉMENTS IMPORTANTS POUR L'INTRODUCTION DU PARTENARIAT DANS UNE ÉCOLE

AVOIR UN PROJET

Sans un projet, le partenariat n'a aucune raison d'être. L'élaboration d'un projet est donc l'étape préliminaire de la réalisation ou de l'actualisation d'une intention, d'un programme ou, encore, de quoi que ce soit que l'on se propose de faire. C'est une étape au cours de laquelle on établit les limites du projet et le déroulement de chacune des étapes de sa réalisation. Le projet, dans ce cadre-ci, est proposé au niveau de l'école. Lorsqu'un projet est mis en branle, on doit d'abord vérifier son originalité et sa faisabilité. Les partenaires doivent se demander à quoi il servira, quelles améliorations ou quels changements il apportera, quels seront les coûts reliés à sa réalisation, quelles stratégies devront être utilisées pour assurer sa réussite.

ROMPRE AVEC LE *STATU QUO*

La réussite du partenariat commande que le directeur rompe avec le *statu quo* en vérifiant si son type de gestion concorde avec les facteurs favorisant le partenariat. En général, on peut relever chez les gestionnaires trois types de tendances comportementales.

Le premier type a trait au solitaire qui non seulement travaille seul, mais pense également qu'il se suffit pour accomplir un travail parfait et efficace. Celui-là n'éprouve jamais le besoin de discuter avec les enseignants, et encore moins avec le milieu. Il n'a confiance qu'en ses habiletés et capacités et proteste quand les collègues s'immiscent dans son travail. Il administre l'organisation à sa manière et est souvent partisan d'une gestion verticale.

Le deuxième type touche le directeur qui est toujours en compétition avec ses collègues qui, selon lui, constituent une menace. Dans une telle organisation, il n'y a pas de place pour la confiance, étant donné que le directeur travaille pour son propre intérêt, et surtout, de façon ostentatoire, il montre qu'il a plus de valeur que ses collègues. Toujours gagnant, il ne se lasse jamais de proposer aux autres des solutions aux problèmes de l'organisation, les forçant même parfois à les accepter. Le troisième type renvoie au directeur partisan du partage du pouvoir et du travail en équipe. Dans ce contexte-là, la dynamique devient tout autre. C'est l'implication et le soutien des pairs et du milieu dans la cause commune qui sont prônés.

Le directeur a donc un choix à faire dans son école. S'il se pense omniscient et croit qu'il n'a que faire de l'apport de ses collaborateurs, il est important qu'il reconnaisse que le travail solitaire n'a plus sa place dans une optique de partenariat; c'est le travail en équipe qui conduira son école à l'excellence. S'il a tendance à avoir le deuxième type de comportement, la compétition entre pairs fera régresser son équipe. Il ne sert à rien de se faire concurrence entre collaborateurs. Faire converger les efforts de chacun vers le même but contribue à la croissance et au succès de toute organisation, en d'autres termes, à l'excellence sous toutes ses formes ; ce qui nous amène à la troisième tendance, celle qui est privilégiée dans ce chapitre. Ceux qui en sont partisans pourront constater que c'est un atout majeur, car le partenariat, même s'il n'est pas une panacée, peut avoir des retombées extrêmement positives.

En somme, rompre avec le *statu quo* signifie opter pour le changement, être favorable au partenariat, à la collaboration et à la prise de décision en équipe.

SONDER LE TERRAIN

Le directeur d'école sonde le terrain pour avoir l'opinion des partenaires potentiels et connaître leur vision du partenariat, du projet à élaborer et du style de leadership à adopter. Cette démarche peut se faire au cours de discussions individuelles ou de réunions avec les collaborateurs. Chacun exprime clairement sa conception du partenariat et ses attentes à l'égard du directeur et de l'équipe.

TENIR COMPTE DES OBSTACLES

Ambiguïté par rapport au leadership

Le concept de leadership revêt une certaine ambiguïté dans les organisations. Ainsi, excercer son leadership est parfois apparenté à influencer, à mener, à conduire, à avoir du tact. Le leadership, pris sous cet angle, devient souvent source de stress et de confusion pour ceux qui jugent qu'ils en manquent. Source de stress, d'une part, parce que pour certains administrateurs on doit nécessairement naître leader pour bien diriger une équipe, comme arrivent à le faire certains sans grande difficulté. Pour d'autres, le leadership est une qualité mystérieuse que tout leader doit acquérir. Source de confusion, d'autre part, parce que plusieurs administrateurs croient que le leadership signifie prendre seul les décisions, imposer sa vision de l'organisation aux autres sans les faire participer aux prises de décision ni les considérer comme partenaires à part égale.

Le leader, empreint d'un esprit de collaboration, est convaincu qu'il doit bâtir son leadership, incite ses partenaires à avoir plus d'autonomie et, comme le mentionnent Tjosvold et Tjosvold (1991), cherche à les convaincre qu'ils « travaillent pour eux-mêmes ».

Néanmoins, l'administrateur ne doit pas perdre de vue que l'objectif premier est de mener un projet à terme avec une organisation de partenaires qui doit être édifiée pièce à pièce de concert avec les collègues. Il doit savoir qu'il a « besoin du support de ceux-ci pour venir à bout de toutes les attentes sous-jacentes au partenariat » (Tjosvold et Tjosvold, 1991 : 22). Cette condition amène alors le leader à tenir compte de la nature des relations qu'il tisse avec ses coéquipiers.

La relation avec les coéquipiers

Quelles sont mes valeurs concernant les rapports à entretenir avec mes partenaires potentiels ? Quelles sont les valeurs de ces derniers concernant les rapports à entretenir avec moi et les autres membres de l'équipe ? Quelles perceptions ont-ils de l'ensemble des relations à tisser ? Telles sont les questions que l'administrateur doit se poser.

Chaque individu est appelé à établir des relations avec les gens qu'il côtoie. Dans les organisations, cette interdépendance est tellement forte – puisque les organisations sont bâties sur la dépendance réciproque des individus – qu'on ne s'en rend compte que lorsqu'il arrive, soit au supérieur, soit au collaborateur ou aux subordonnés de s'absenter du travail. Cette interdépendance obligera l'administrateur à trouver des réponses aux questions mentionnées plus haut, car le partenariat l'incite à construire des relations positives avec ses collègues et les partenaires du milieu.

C'est un travail de longue haleine et, comme le qualifient Tjosvold et Tjosvold (1991), c'est un « voyage » holistique dont le terme n'est pas immédiatement accessible. Son rythme dépend des valeurs et du leader et des collaborateurs, et surtout, du climat organisationnel, du milieu et des types de relations qui y prévalent. Il s'agit d'un voyage à la fois simple et complexe. Simple, puisque le partenariat commande une vision commune, une volonté de réussir ensemble, des discussions sans détours, où l'on tient compte des différences et des concordances d'idées. Ce parcours holistique est aussi complexe, étant donné qu'en cours de route des ajustements doivent être faits par rapport aux objectifs définis, aux responsabilités, aux réactions des partenaires et du milieu ; ce parcours peut même donner lieu à des négociations et à des compromis. Pour tisser de bonnes relations avec ses pairs, l'administrateur doit tenir compte de son style de leadership et du pouvoir que chaque membre détient.

Plusieurs études traitant du leadership ont proposé des stratégies que les administrateurs peuvent utiliser pour diriger, influencer et mener leurs membres. Elles sont venues à la conclusion que l'influence de chaque stratégie dépend du type de relation entretenue. C'est ainsi que les études faites par Tjosvold (1991) ont montré que le style de leadership coopératif joue un grand rôle dans les relations entre les membres d'une équipe. Dans une de ses études menée auprès de 110 employés d'un laboratoire médical, l'auteur a montré que les leaders qui mettent l'accent sur une relation de coopération incitent à la participation et sont perçus comme étant très compétents. Par contre, ceux qui favorisent l'individualisme et la compétition et qui pratiquent l'obstruction systématique sont perçus comme inefficaces.

La relation hiérarchique qui existe normalement entre supérieurs et subordonnés, dans les organisations traditionnelles, peut créer des tensions entre les deux parties. Les leaders auront parfois tendance à se servir de leur pouvoir pour imposer leur point de vue, leur façon de faire et, surtout, leurs décisions, même s'ils n'ont pas les compétences pour prendre ces décisions. Ils ne parviennent pas à concevoir comment ils pourraient échanger leurs opinions avec leurs coéquipiers ni comment ils pourraient les impliquer dans le processus de prise de décision. Les coéquipiers, qui, de leur côté, veulent avoir plus de pouvoir, maugréent, font des revendications et vont jusqu'à critiquer les « patrons » ; cette situation marquée par les conflits, la frustration et l'aigreur rend les relations très compliquées entre les collaborateurs et le manager (Kougbevena, 1991).

Selon des études menées par Kanter (1977), Tjosvold (1991), Korenblit et Layole (1986), les administrateurs qui établissent des relations de coopération avec leurs coéquipiers sont en mesure de les rendre plus puissants et se sentent encore plus libres de les inciter à participer. La participation des employés à la résolution des problèmes et, surtout, à la prise de décisions peut améliorer la qualité des solutions et leur engagement à les mettre en œuvre.

En somme, l'administrateur-leader qui veut former une équipe de partenaires doit adopter un style de leadership qui l'amène à tisser des relations de collaboration et de confiance et à faire montre d'un pouvoir coopératif.

SAVOIR CHOISIR L'ÉQUIPE

Tout membre d'une organisation, qui par essence vise l'excellence, devrait être « preneur » du partenariat. Même si le minimum de conditions nécessaires pour la formation d'équipe de partenaires sont réunies, l'administrateur verra apparaître différentes réactions aux propositions concernant la formation d'équipe de partenaires. Nous pouvons parler de « psychologie » du collaborateur, aussi est-il nécessaire de mentionner que cette psychologie est tributaire de l'environnement du travail, du type de relation qui existe entre l'administrateur et ses employés et, surtout, de l'employé avec qui l'on collabore. La typologie des partenaires, élaborée par Korenblit et Layole (1986), présente trois grands types qui sont les preneurs, ceux qui demandent à voir et ceux qui résistent. Ces réactions, décrivant les attitudes du personnel dans son ensemble, peuvent se manifester chez les collaborateurs potentiels. Nous avons déjà examiné les problèmes reliés à chaque type d'individus que l'administrateur peut rencontrer dans le chapitre sur la collégialité. Il lui incombe de savoir faire son choix parmi les éventuels collaborateurs, et si ce choix s'avère impossible, si les collaborateurs sont imposés de l'extérieur, par exemple, il devra apprendre à travailler avec eux. Le tableau 8.1 présente la typologie des collaborateurs et les comportements à adopter.

MODÈLE DU PARTENARIAT

Un partenariat réussi est le fait d'une organisation qui, formée d'individus qui se complètent, se suppléent et se soutiennent les uns les autres, repose sur des principes incontestables proposés sous forme d'un modèle dont les facteurs se résument dans ce qui suit.

Les partenaires doivent :
- avoir un projet dont l'envergure est connue et avalisée ;
- avoir la vision de ce qu'ils veulent accomplir ensemble et de la façon dont ils vont s'y prendre pour y arriver (Susjansky, 1991) ;
- faire montre d'unité pour élaborer une vision commune. L'unité donne la conviction d'accomplir et de réussir les projets définis (Tjosvold et Tjosvold, 1991) ;

Tableau 8.1
TYPOLOGIE DES COLLABORATEURS
ET COMPORTEMENTS DES ADMINISTRATEURS–LEADERS

Types de collaborateurs	*Comportements des collaborateurs*	*Comportements du leader–administrateur*
LES PRENEURS :		
Le putschiste	– Pro–putsch – « Court–circuiteur » – Déconcertant – Aventurier – Usurpateur de pouvoir	– Fermeté : • rappel à l'ordre • remontrance • sanction – Ruse : • lui demander d'assumer officiellement les responsabilités usurpées.
Le plus royaliste que le roi	– Insatiable	– Écouter, car en exagérant il est rarement tout à fait à côté. – Lui reconnaître officiellement une fonction de management. – Le féliciter pour sa conscience professionnelle et sa rigueur. – Ne jamais chercher à le coincer.
Le prosélyte	– Toujours d'accord – Positif pour l'administrateur – Réconfortant – Teste les réactions du groupe	– Éviter de faire publiquement alliance avec lui sans s'être assuré de son soutien par le groupe. – Éviter de le décourager en public. – Le charger de travaux de recherche, d'amélioration et d'innovation, mais avec mission de vous tenir au courant.
Le pionnier	– Dynamique – Sympathique – Plein d'initiatives – Travailleur solitaire et non solidaire des idées de l'équipe	– Ne pas décourager ses initiatives. – Lui donner un rôle d'avant-poste expérimental, mais avec mission de donner un compte rendu devant l'équipe. – Le soutenir dans son action de promotion.

Tableau 8.1 (suite)

Types de collaborateurs	Comportements des collaborateurs	Comportements du leader–administrateur

La locomotive	– Leader
	– Bon collaborateur
	– Fidèle
	– Sollicité par les autres
		– Le repérer :
		  • Le tester à titre professionnel.
		  • Solliciter son avis,
		    ses conseils, ses suggestions,
		    ses commentaires, son aide
		    par rapport aux projets.
		– L'investir d'une mission
		  de sensibilisation et d'entraîne-
		  ment auprès des autres.

CEUX QUI DEMANDENT À VOIR :		

Les négociateurs	– Ils ne veulent rien sans rien
	– Excès de protection
	– Se sécurisent par des contrats
		– Négocier avec eux en posant
		  vos conditions et en tenant
		  compte des leurs.
		– Clarifier vos attentes.
		  Respecter vos engagements.
		– Leur montrer toujours
		  où se trouve leur intérêt.
		– Les sécuriser.

Les suiveurs	– Inertes
	– Silencieux
	– Se mettent en branle
	  à la dernière minute
	  quand tout est fin prêt.
		– Ne pas s'intéresser à eux
		  au premier abord, ce qui
		  peut les motiver.
		– Utiliser leur inertie en
		  généralisant des expériences
		  tentées d'abord avec les loco-
		  motives et les négociateurs.
		– S'appuyer sur les locomotives
		  pour les mobiliser.

Les sceptiques	– Incrédules
	– Pessimistes
	– Critiques
		– Respecter leur incrédulité
		  et leur pessimisme :
		  • Admettre leur objection.
		  • Reconnaître qu'effective-
		    ment le projet peut ne pas
		    marcher, ce qui désarme
		    la critique.
		  • Leur proposer le change-
		    ment à titre de simple
		    expérience.

Tableau 8.1 (suite)

Types de collaborateurs	Comportements des collaborateurs	Comportements du leader–administrateur
LES RÉSISTANTS :		
Les vaccinés	– Anciens – Connaissent tout – Savent tout – Ont tout vu	– Valoriser leur expérience. – Chercher à les transformer en négociateurs, puis en locomotives ou en prosélytes. – Les négliger si cela ne marche toujours pas, ce qui provoque parfois une réaction d'affolement.
Les pas payés pour	– Oppositions de principe – Syndiqués	– Ne pas situer le débat sur le plan des principes. – Situer le débat sur le plan d'adhésion à une équipe. – Entamer une démarche d'explication et de sensibilisation. – Les cantonner, en dernier lieu, dans les tâches les moins intéressantes et les moins exigeantes.
Les anti	– Opposition systématique – Crainte démesurée du changement – Inertie incurable	– Les sécuriser : garanties incontestables. – Utiliser la contrainte. – Ne pas les choisir ou les couper carrément du reste du groupe.

Source : Adapté de Korenblit, P. et G. Layole (1986). *Savoir déléguer*, Angleterre, Cox and Wyman Ltd.

- acquérir du pouvoir pour bien accomplir les tâches dont ils sont responsables. Le pouvoir suppose l'autorité, l'influence pour faire faire les choses, tout en ayant accès aux ressources nécessaires pour les réaliser ;
- s'engager à la réalisation des buts ;
- planifier et organiser les actions à entreprendre pour atteindre ces buts (comité de travail, d'encadrement et de supervision) ;
- établir l'échéancier et faire du projet une priorité.

ÉLABORER UNE VISION COMMUNE

« La vision est une image claire de ce qui peut être fait » (Susjansky, 1991 : 14). Elle crée l'espoir, le rêve, duquel est issu l'objectif à réaliser par les partenaires ; la synergie qui s'en dégage permet au groupe de se surpasser et de mener des actions efficaces. La vision permet aux partenaires de savoir ce qu'ils espèrent accomplir et comment ils vont y arriver ensemble. Les partenaires doivent comprendre l'importance de la vision, non seulement pour eux-mêmes, mais aussi pour les autres, afin qu'ils puissent s'engager à l'élaborer à partir des idées de toute l'équipe. Même si le directeur a la responsabilité de diriger l'équipe des partenaires, il ne doit pas leur imposer sa vision. Il doit inviter les partenaires à modeler la vision du groupe à partir de leurs visions individuelles. L'administrateur doit donc avec l'équipe :

- cerner les visions de chaque partenaire ;
- faire une évaluation sommaire de ces visions individuelles en tenant compte des avantages et inconvénients qu'elles comportent ;
- modeler les visions individuelles en une vision préliminaire de groupe ;
- confronter l'opinion des partenaires à la vision temporaire retenue ;
- apporter les correctifs pour l'améliorer ;
- faire le choix d'une vision commune.

INSTAURER L'UNITÉ AU SEIN DU GROUPE

Une fois la vision modelée et retenue, les partenaires doivent partager une mission commune. L'étape d'unité est importante pour tester jusqu'à quel point les partenaires savent qu'ils sont ensemble et qu'ils doivent travailler de concert. Ils doivent alors avoir la conviction de travailler les uns pour les autres, les uns avec les autres, en vue d'atteindre un même but. Savoir que ce qui est bon pour l'un l'est aussi pour tous doit être la devise de l'équipe de partenaires. Pour instaurer l'unité, l'administrateur et son équipe doivent :

- mettre en évidence la vision du groupe ;
- se rappeler qu'ils doivent travailler ensemble ;
- définir les rôles de chacun suivant les compétences individuelles ;

- confier les responsabilités en tenant compte des aptitudes de chacun ;
- encourager le sentiment d'appartenance et d'adhésion au groupe et en promouvoir l'identité ;
- élaborer et rédiger la philosophie de groupe et les règlements en tenant compte des valeurs, des motivations, des réalisations et des implications de chacun ;
- établir un système de récompense.

PARTAGER LE POUVOIR

La sensation d'avoir la même vision et d'être uni autour d'un même but contribue à renforcer la confiance en l'atteinte de ce but. Mais cela est insuffisant si les partenaires n'ont pas le pouvoir d'y arriver. Par conséquent, pour permettre aux partenaires de réussir, le directeur doit déléguer une partie de ses pouvoirs, bien qu'il reste garant des agissements et des résultats de son équipe face à ses propres supérieurs.

Avoir du pouvoir, c'est détenir un mandat, posséder les ressources techniques, financières et les habiletés nécessaires pour combiner efforts et aptitudes avec succès. L'administrateur qui octroie du pouvoir à ses partenaires doit tenir compte des points suivants :

- faire partager la vision de l'équipe ;
- développer des habiletés chez les partenaires ;
- créer un sens de l'appartenance à l'aide d'un leadership efficace ;
- apporter du soutien aux partenaires ;
- établir des mécanismes de contrôle.

SUSCITER L'ENGAGEMENT

L'engagement est une décision personnelle qui se prend et s'exprime lorsqu'un individu, sollicité par d'autres à travailler ensemble, se dit : « je sens et je réalise le besoin de changement ; j'y crois fermement ; je suis prêt à participer à sa mise en œuvre avec d'autres partenaires ; j'accepte la vision de l'équipe et je me mets au travail pour que cette vision soit réalisée ». Ainsi, l'administrateur, qui, en s'engageant dans une action commune, envisage sa réussite et veut rallier à sa cause des partenaires, doit tenir compte des points suivants :

- faire intervenir la vision de l'équipe ;

- intégrer à l'équipe des partenaires différents sur le plan de leur formation, de leurs aptitudes et de leur expertise ;
- élaborer un contrat mobilisateur, c'est-à-dire un accord énonçant des propositions relatives au mode de travail ;
- s'engager publiquement à sa mise en œuvre ;
- accepter de changer des choses par son action ;
- contribuer, par le partenariat, à former une équipe à performance élevée ;
- envisager le succès par les comportements de partenariat basés sur la relation avec les autres.

PASSER À L'ACTION

Les partenaires, après avoir choisi la vision de l'équipe, s'être assurés de son unité puis de son pouvoir et de l'engagement des membres, doivent enfin soumettre leurs connaissances et leurs techniques de partenariat à l'épreuve d'un plan d'action. Dans ce plan, on détermine ce qu'on fait, qui le fait, quand, où et comment. Les partenaires s'engagent à se fixer des objectifs et à établir un échéancier. Même si la répartition des tâches n'est pas équitable, étant donné que les tâches à accomplir ne se ressemblent pas, chaque partenaire doit comprendre l'importance de sa participation pour l'atteinte des objectifs fixés par l'équipe et la réussite de la mission commune. Lorsque les responsabilités ne sont pas assumées convenablement, le partenariat est voué à l'échec. Pour y réussir, l'administrateur doit réaliser les étapes suivantes :

Planifier les actions

- Définir les buts : les partenaires efficaces déterminent ce qu'ils veulent accomplir en se fixant des buts précis, mesurables et réalistes.
- Identifier et clarifier les rôles et attentes de chaque membre ; l'administrateur s'assure que les partenaires savent ce qu'on attend d'eux, en décrivant en termes clairs et précis les tâches à accomplir, les responsabilités et méthodes à utiliser et l'échéancier fixé. Les attentes doivent être réalistes, réalisables et comporter des défis.
- Bâtir un processus d'analyse de situation et de diagnostic de problèmes ; l'équipe met au point une méthodologie d'investigation des possibilités de poursuite du projet, d'évaluation des coûts, de

sa durée et de sa faisabilité, démarche qu'elle confie à un partenaire choisi en fonction de ses habiletés.

– Établir un emploi du temps ; le calendrier déterminera la date de mise en œuvre du projet et de son terme.

– Déterminer les ressources nécessaires à la réussite du projet.

– Mettre au point un processus d'évaluation du projet et, surtout, un processus d'évaluation de la relation entre les partenaires.

– Signer un contrat mobilisateur. C'est un document qui doit présenter la vision, les responsabilités de chacun, l'échéancier à respecter, la manière dont les décisions doivent être prises, la date de prise de décision, les ressources et les méthodes d'évaluation.

Diagnostiquer les problèmes

– Choisir le ou les partenaires qui s'en chargeront.

– Retenir une technique de diagnostic appropriée au problème telle que :

- l'observation ;
- le sondage par questionnaire ou par entrevue ;
- l'analyse de contenu.

– Recueillir les données, les analyser et déterminer les causes du problème.

Prendre des décisions

Après la phase de diagnostic, les partenaires se regrouperont pour prendre des décisions en s'appuyant sur les recherches effectuées afin de résoudre le problème relevé en tenant compte des points suivants :

– résumer l'information recueillie au cours du diagnostic ;

– énumérer toutes les solutions possibles ;

– sélectionner les solutions acceptables ;

– étudier chaque solution et identifier les risques qui y sont reliés ;

– étudier dans quelles mesures ces solutions peuvent être mises en application ;

– appliquer la solution.

Exécuter le plan d'action

À cette étape, les partenaires détaillent le plan des tâches à accomplir, les personnes qui les assumeront et les ressources pour les réaliser. Les partenaires doivent :

- favoriser l'émergence des idées nouvelles de ceux qui ne sont pas impliqués dans cette partie ;
- confier les tâches à ceux qui sont aptes à les mener à bien ;
- établir une méthode d'évaluation des tâches à accomplir.

Évaluer les résultats

Enfin, les partenaires évaluent les résultats auxquels ils sont arrivés après avoir complété la phase d'exécution du plan d'action. Chaque partenaire revoit tous les points de la phase de planification, se pose des questions sur sa contribution et sur le type de relation entretenue avec les autres. Il vérifie aussi si le plan correspond aux buts définis. S'il y a un point obscur, des ajustements doivent être apportés. Pour évaluer le partenariat, les partenaires doivent se poser les questions suivantes :

- Quels sont mes sentiments par rapport au projet de partenariat défini ?
- Quels sont les obstacles à ma relation de travail ?
- Que vais-je améliorer prochainement ?
- Ai-je tenu mes engagements ?

De plus, pour les phases de diagnostic, de prise de décision, d'exécution et d'évaluation, l'administrateur doit rendre les partenaires capables :

- d'évaluer leurs besoins en matière de formation, d'information, de développement et de ressource ;
- de développer leurs habiletés face aux technologies nouvelles ;
- de développer, chez les enseignants, partenaires ou non, des aptitudes aux changements, à la résolution de problèmes, à la communication et aux relations interpersonnelles ;
- de se donner le plus d'informations possible sur tout le fonctionnement de l'école ou de la commission scolaire ;
- de partager le pouvoir et l'autorité et de veiller à ce que les ressources nécessaires soient mises à la disposition de chacun ;
- de reconnaître les réalisations et la créativité de chacun, de les souligner, de les apprécier et de les encourager ;

- d'apporter les modifications nécessaires au bon fonctionnement du partenariat.

CONCLUSION

Dans ce chapitre, nous avons défini le partenariat comme un système d'alliances qui consiste à regrouper des individus autour d'un but commun. Ces individus deviennent des partenaires convaincus d'apporter un changement notable et ce, grâce à l'équipe qu'ils forment.

L'administrateur scolaire qui veut établir un partenariat efficace, en vue d'améliorer la performance de son école, doit entreprendre une démarche préliminaire. Il doit remettre en question le *statu quo*, connaître le type de relation à entretenir avec ses collaborateurs, savoir les choisir, s'il le peut, apprendre à les connaître et adopter avec chaque type un comportement particulier. Après avoir choisi ses collaborateurs ou partenaires, l'administrateur assure le leadership en tenant compte des caractéristiques du « modèle du partenariat ».

L'administrateur élabore donc avec l'équipe la vision du groupe et définit sa mission. Il réunit ses partenaires autour de cette vision, leur permet d'en parcourir les diverses étapes en leur donnant plus de pouvoir et les amène à un engagement indéfectible. À l'étape de l'action, on complète le modèle en tenant compte de la planification, de la manière dont les partenaires doivent s'y prendre pour remplir leur mission, les moyens à prendre, leur choix et leur évaluation.

$\boxed{\text{INSTRUMENT}}$ *Dans ce chapitre, le partenariat a été défini comme une collaboration entre des individus différents, appelés partenaires, qui contribuent à l'atteinte d'un but commun. En tant qu'administrateur, le directeur doit impliquer le personnel de l'école dans un processus de réorganisation scolaire. Il doit alors former une équipe, et pas une équipe composée de supérieurs et de subordonnés mais de partenaires. Il doit choisir ses collaborateurs.*

L'instrument proposé dans les pages suivantes permet d'identifier les types de collaborateurs qui doivent être intégrés dans une équipe pour en faire des partenaires. Le tableau 8.1 présenté dans ce chapitre propose une typologie de collaborateurs que l'on peut retrouver dans une équipe.

IDENTIFIER SES PARTENAIRES

Identifiez jusqu'à quel point les types de collaborateurs décrits corres-pondent à la réalité de votre école (ou de votre unité administrative).

* Vous énoncez votre choix en encerclant un chiffre de 1 à 5 :
    1 = très peu ; 5 = beaucoup.
* Si le chiffre se situe à 3, 4 ou 5, veuillez indiquer les comportements que vous devez adopter en vue de les convaincre à adhérer au projet de partenariat.

Jusqu'à quel point avez-vous dans votre école :

	Très peu Beaucoup	Comportements
« des preneurs », c'est-à-dire des collègues :		
1. Putschistes	1 2 3 4 5	_____
		_____
2. Plus royalistes que le roi	1 2 3 4 5	_____
		_____
3. Prosélytes	1 2 3 4 5	_____
		_____
4. Pionniers	1 2 3 4 5	_____
		_____
5. Locomotives	1 2 3 4 5	_____
		_____
« ceux qui demandent à voir », c'est-à-dire des collègues :		
6. Négociateurs	1 2 3 4 5	_____
		_____
7. Suiveurs	1 2 3 4 5	_____
		_____
8. Sceptiques	1 2 3 4 5	_____
		_____
« ceux qui résistent », c'est-à-dire des collègues :		
9. Vaccinés	1 2 3 4 5	_____
		_____
10. Pas payés pour	1 2 3 4 5	_____
		_____
11. Anti	1 2 3 4 5	_____
		_____

Décrivez en quelques lignes comment se présente l'équipe avec laquelle vous travaillez.

- Dans celle-ci, y a-t-il un esprit de partenariat ?
- Quels sont les éléments qui vous permettent de l'affirmer ou de le nier ?

_____

_____

_____

_____

_____

_____

_____

_____

_____

_____

_____

_____

_____

_____

_____

_____

BIBLIOGRAPHIE

CONSEIL SUPÉRIEUR DE L'ÉDUCATION (1993). *La gestion de l'éducation : nécessité d'un autre modèle*, Rapport annuel 1991-1992 sur l'état et les besoins de l'éducation, Québec, Direction des communications.

GAGNON, C. (1995). « L'éducation et le monde du travail : vers quel partenariat ? », *Réseau : Le Magazine de l'Université du Québec*, 26 (5), 16-18.

KANTER, R.M. (1977). *Men and Women of the Corporation*, New York, Basic Book Inc.

KORENBLIT, P. et G. LAYOLE (1986). *Savoir déléguer*, Angleterre, Cox and Wyman Ltd.

KOUGBÉNÉVA-KOFFI, V. (1991). *Rôle, priorité de rôle et conflit de rôle des directeurs d'école primaire de la circonscription pédagogique d'Ogou-Sud au Togo*, Thèse de doctorat inédite, Université Laval.

SUSJANSKY, J.G. (1991). *The Power of Partnering, Vision, Commitment, and Action*, Toronto, Pfeiffer and Co.

TJOSVOLD, D. (1985). « Power and Social Context on Superior's Influence and Interaction with Low Performing Subordinates », *Personnel Psychology*, 38, 361-376.

TJOSVOLD, D. (1990). « Power in Cooperative and Competitive Organizational Contexts », *Journal of Social Psychology*, 130, 249-258.

TJOSVOLD, D. et M. TJOSVOLD (1991). *Leading the Team Organisation : How to Create an Enduring Competitive Advantage*, New York, Lexington Books.

C H A P I T R E 9

NOUVEAUX RÔLES DES DIRECTEURS D'ÉCOLE : AUTOLEADERSHIP ET SUPERLEADERSHIP

Donne du poisson à un homme, tu le rassa-
sieras pour une journée ; montre-lui à pêcher, tu
le rassasieras pour toute sa vie

INTRODUCTION

Les transformations sociales, culturelles, structurelles et économiques avec lesquelles sont aux prises les organisations sont à l'origine de plusieurs difficultés et problèmes que les acteurs scolaires doivent résoudre avec de nouveaux acquis et de nouveaux savoir-faire. « Diriger et enseigner » les enfants des autres est devenu aujourd'hui une tâche extraordinairement difficile et compliquée, car tous et chacun veulent se faire entendre d'une manière ou d'une autre. Qui plus est, le monde étant en évolution rapide, si on ne court pas assez vite et, surtout, si on est trop peu à le faire, on ne pourra le rattraper. Sur le plan technique, les technologies de pointe, comme la robotisation des industries, les ordinateurs complexes, la biotechnologie, les progrès spectaculaires en médecine, le télé-enseignement, prennent de plus en plus de place dans les organisations.

Sur le plan socio-économique, la conjonction du démantèlement des réseaux familiaux et des problèmes reliés à la toxicomanie, au multiculturalisme, à la superproductivité, à la mondialisation, au réajustement du budget fiscal et au taux de chômage toujours croissant rend le défi énorme pour tout leader-manager qui fait face à ces changements, parfois imprévisibles et spectaculaires.

De plus en plus dans les organisations scolaires, le personnel est à l'affût d'informations, et pour cause ; les jeunes professeurs, habitués à travailler en équipe, à partager leurs idées, se retrouvent habituellement dans des écoles où il y a clivage entre la méthode traditionnelle de gestion et la gestion évolutive, qui préconise une participation réelle des employés à la mission de l'école.

Les élèves, de leur côté, sont avides de connaissances, s'impliquent dans leur conseil d'établissement, forment des conseils étudiants pour revendiquer leur droit et participer à la vie de leur école. Les parents, eux, avec le pouvoir que la Loi 107 et, récemment, la réforme de l'éducation leur ont octroyé, avertis de la qualité de l'éducation requise pour les élèves, exigent le meilleur pour leurs enfants. Ils sont de plus en plus présents dans les instances décisionnelles de l'école.

Pour répondre à ces attentes, aucune organisation ne peut être viable de nos jours sans un leadership renouvelé. Cependant, le modèle de leadership perçu actuellement dans les écoles est beaucoup plus approprié à la structure traditionnelle, mettant en exergue les styles, les traits de caractère des leaders plutôt que leurs sentiments, leur raisonnement et leur façon de faire. Durant des années, le pouvoir s'était concentré au sommet de la hiérarchie. Il ne s'agit plus de prendre en considération seulement les traits ou le style de leadership comme l'ont prôné dans leurs théories respectivement Likert (1961) et Hersey et Blanchard (1988). Certains éléments à prendre en considération, dans les circonstances, sont l'expertise, l'altruisme et la façon d'amener les enseignants à répondre aux exigences de la profession sans avoir à attendre après les directives du leader. Étant donné que les activités des directeurs d'école, celles du leadership pédagogique entre autres, sont très nombreuses et exigeantes sur le plan temporel, ils ne peuvent, même avec la meilleure volonté du monde, répondre totalement aux attentes qui y sont reliées. Des études ont révélé que les directeurs consacrent 30 % de leur temps au leadership pédagogique (Brunet *et al.*, 1985 ; Kougbévéna-Koffi, 1991) et le reste aux activités de soutien du service aux étudiants, de la relation école-milieu, de la recherche et développement, du service du personnel, des ressources physiques et matérielles, des ressources financières et du marketing. Cette répartition du temps indique que, pour atteindre l'efficacité de l'école et, par ricochet, l'excellence, le leadership n'est plus la prérogative d'une seule personne, mais de toute l'équipe de l'école. Le leadership tout court ne suffit plus. Il faut faire plus : exercer son leadership en amenant les employés à être, eux aussi, des leaders, c'est ce que nous appelons le super- et l'autoleadership, deux variables nécessaires à la réussite de la réorganisation scolaire.

Ce chapitre sera consacré à l'autoleadership et du directeur, et de l'enseignant, et au superleadership du directeur. Après avoir défini succinctement le leadership traditionnel, nous traiterons du leadership contemporain, du superleadership et de l'autoleadership, car l'un ne va pas sans l'autre.

LEADERSHIP TRADITIONNEL

Au cours du XXe siècle, plusieurs auteurs se sont penchés sur le thème du leadership et ont cherché à élaborer une définition qui lui soit appropriée, mais sans parvenir à intégrer cette définition dans une théorie spécifique au leadership. « Le thème leadership est un des sujets des sciences sociales le plus désappointant », de clamer Sergiovanni (1992 : 2). Un résumé des diverses définitions présente le leadership comme un ensemble de traits personnels qui caractérisent un individu, en dirigeant et en influençant par des styles propres à sa personne les activités de un ou de plusieurs groupes dont il a la charge, dans le but d'atteindre des objectifs communs.

On constate que certains auteurs, dans leurs définitions, ont centré leur attention sur les caractéristiques des leaders en mettant l'accent sur les traits personnels, tels que les habiletés, les comportements et les sources de pouvoir personnel, qui les distinguent des autres employés (Stodgill, 1974 ; Katz et Kahn, 1978 ; Mazzarella et Smith, 1989).

De l'avis de Bennis et Nanus (1985), les études empiriques qui ont été menées durant les soixante-quinze années de recherche sur le leadership ne sont pas parvenues à donner un éclairage suffisant à ce terme, qui nous permettrait de distinguer un leader d'un non-leader, un leader efficace d'un leader non efficace.

De plus, comme les études sur le sujet se sont surtout intéressées aux déterminants de l'efficacité du leadership et à leurs conséquences sur la satisfaction, la performance des individus et l'efficacité organisationnelle (Sergiovanni, 1992), nous avons cherché à savoir quel style était le meilleur. De quelles caractéristiques dominantes un individu doit-il faire montre pour être un leader efficace ? Est-ce le chaud ou le froid, l'autocratique ou le démocratique, le directif ou le participatif (Hersey et Blanchard, 1988), le nomothétique ou l'idiographique (Getzels et Guba, 1957) ? Ces questions nous amènent à constater l'échec du leadership traditionnel relevant du fait que :

– de façon générale, les auteurs ont mis l'accent, dans leurs définitions, sur les déterminants de l'efficacité du leadership en considérant les caractéristiques et les styles des leaders, favorisant ainsi la mise en pratique de l'autorité psychologique, bureaucratique et autocratique des leaders plutôt que l'exploitation de l'aspect professionnel de cette autorité. Exercer son leadership, pour ces auteurs, c'est dire à ses employés subalternes : « Suivez-moi et faites ce que je vous dis de faire », plutôt que d'amener les employés à agir selon leurs compétences et expertises, en toute autonomie, dans le but de s'améliorer et d'atteindre des objectifs ;

– le leadership a été perçu comme un processus de contrôle plutôt que comme un processus d'influence (Duignan et MacPherson, 1993) ;

– le leadership a été perçu comme une façon de faire plutôt qu'une action à poser (Sergiovanni, 1992) ;

– les écoles n'ont en général qu'un leader, le directeur, alors qu'elles devraient en avoir plusieurs ;

– il y a eu, surtout de la part des théoriciens, l'entretien d'un certain mythe entourant le management et les leaders. « On ne s'improvise pas leader, on naît leader, et le leader est un être exceptionnel, qui sait influencer, qui sait mener [...] » (Lindelow et Bentley, 1989). Pour eux, ce mythe a fait des managers des individus qui placent le « processus » (l'attitude à adopter) avant la « substance » (l'aptitude à faire), qui transforment à leur guise les structures, les rôles, les formes indirectes de communication et qui ignorent complètement les émotions, les idées et les opinions des autres employés.

LEADERSHIP CONTEMPORAIN

Parler de leadership fait communément référence à la capacité que possède un individu à gérer, à commander et à bien diriger les autres. Il s'agit en fait de l'influence qu'exerce l'individu sur autrui. Pour Manz et Sims (1989), le leader d'aujourd'hui est celui qui amène autrui à être son propre leader. Sergiovanni (1992), dans son livre *Moral Leadership…*, présente le leadership selon une trilogie intéressante. Le leadership a « un cœur » (des sentiments, des émotions). Il a aussi « une tête » (une logique, un savoir, une raison ou une pensée) et encore un « savoir-faire » appelé la main du leadership. C'est alors en associant ces trois éléments fondamentaux, indissociables, qu'on peut parler de leadership moderne. Une étude du thème pris dans son acception nouvelle doit tenir compte de ces trois éléments (figure 9.1).

Figure 9.1
RELATION ENTRE LES ÉMOTIONS, LA RAISON ET LE SAVOIR-FAIRE DU LEADER

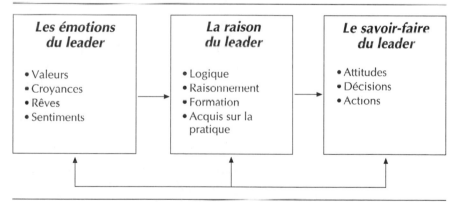

Les émotions du leader	*La raison du leader*	*Le savoir-faire du leader*
• Valeurs • Croyances • Rêves • Sentiments	• Logique • Raisonnement • Formation • Acquis sur la pratique	• Attitudes • Décisions • Actions

Source : Adaptée de Sergiovanni (1992).

- L'émotion (ou le cœur du leadership) renvoie à ce que le leader croit. Dans ce cas, ses valeurs, ses rêves, son monde intérieur deviennent la fondation de sa réalité. C'est plus que la vision personnelle du leader.

- La raison (ou la tête du leadership) représente le savoir du leader. Elle se rapporte aux théories élaborées sur la pratique du leadership auxquelles le leader se réfère la plupart du temps, et aussi à ses habiletés, à la lumière de ces théories, à faire face aux diverses situations qui se présentent. C'est l'image mentale qu'il possède de la manière dont les employés font et doivent faire les choses. Cette logique aide le leader à créer ses réalités et c'est sur elle qu'il se base pour prendre des décisions. Elle programme ses croyances et ses perceptions.

– Le savoir-faire (ou la main du leadership), c'est le comportement du leader, les gestes qu'il pose et les décisions qu'il prend.

La « tête et le cœur » constituent ce que Sergiovanni (1992) appelle « la substance » et la main, le processus.

Cette trilogie s'explique comme suit : le système de valeurs (émotions, croyances, cœur du leadership) du leader influence sa raison (logique, apprentissage, théories ou tête du leadership) et le pousse à adopter une façon de faire (savoir-faire) dans ses rapports avec ses employés. Autrement dit, le leader se fait une image du travail à faire, image qui est modelée par ses apprentissages (sa formation, les théories apprises sur la façon de conduire les employés, sur la façon dont ces derniers fonctionnent) ; en outre, cette image est modelée par ses valeurs, ses rêves, son monde intérieur, et elle le conditionne à prendre des décisions, à amener les employés à faire le travail. Ce continuum est résumé par le schéma adapté de Sergiovanni (1992 : 8) [figure 9.1].

Il est important de noter que le fait que le leadership traditionnel n'a pas survécu aux nouvelles transformations des organisations de la fin du XXe siècle est relatif à la scission entre la substance (les émotions et la raison) et le processus (savoir-faire). Presque tous ceux qui s'intéressent au management ont hérité de ce que Sergiovanni appelle « la mystique directoriale ». Fidèles à cet héritage, les administrateurs ont tendance à diriger à la manière de Taylor ou de Weber. Le leader efficace doit donc changer sa façon de concevoir le travail de ses employés en réinventant un nouveau leadership adapté aux réalités de cette fin du XXe siècle. À ce propos, Sergiovanni (1992 : 8) ajoute :

> *Nous devons rejeter la plupart des connaissances managériales acquises au cours des formations. Nous devons considérer aussi la plupart des écrits sur le management et leurs prescriptions sur la pratique du leadership comme désuets, historiques et non fonctionnels pour l'administration des organisations d'aujourd'hui.*

En d'autres termes, il faut réinventer le leadership en fonction de la trilogie « émotion–raison–savoir-faire ».

Par ailleurs, le leadership réinventé dont nos écoles ont besoin dépend de la vision que le directeur a de son école, de sa compréhension de la façon dont les élèves et les enseignants apprennent et de la manière dont l'apprentissage leur tient à cœur. Il repose aussi sur son habileté à implanter une communauté d'apprenants, tout en se considérant lui-même comme un apprenant et en incitant ses collaborateurs non seulement à avoir une vision de l'école, mais aussi à développer leurs aptitudes et à affirmer leurs valeurs (Lam, 1990; Kougbévéna-Koffi, 1991).

Par conséquent, ce leadership devient un processus d'influence sur les enseignants qui les amène à investir leurs énergies dans la réalisation des objectifs de l'école. Pour que ce processus fonctionne, directeur et enseignants doivent établir un partenariat et une collégialité dans le leadership. Ils doivent collaborer à bâtir une école où chaque enseignant trouvera défi, soutien, efficacité, appréciation, motivation, satisfaction et, surtout, pouvoir de décision et autonomie.

En résumé, le leadership renouvelé repose sur trois facteurs:

1. Le cœur du leadership, ou l'émotion, les valeurs (la substance ou l'essentiel).
2. La tête du leadership, ou la raison, la logique, l'expertise (la substance ou l'essentiel).
3. La main du leadership, ou le savoir-faire, les gestes posés, les actions (le processus, figure 9.1).

Il peut être exprimé par la fonction: $L = E + R + SF$.

Cela dit, un leader renouvelé doit:

- avoir la capacité de sentir les choses;
- avoir la capacité de penser et de réfléchir;
- savoir faire et savoir faire faire tout en tenant compte des points suivants:
  - avoir une vision pour son école,
  - rechercher l'excellence pour son école,
  - apprendre à être un leader autonome,
  - se passionner pour le travail;
- considérer le leadership comme une responsabilité plutôt qu'un droit;
- s'impliquer à fond dans son travail et collaborer avec les enseignants et les autres membres de son école;
- bâtir une communauté d'apprenants, de partenaires et de collègues;
- rendre les enseignants autonomes, efficaces et excellents.

LE SUPERLEADERSHIP

En paraphrasant l'adage populaire « Donne du poisson à un homme, tu le rassasieras pour une journée ; montre-lui à pêcher, tu le rassasieras pour toute sa vie » et en l'appliquant à la situation scolaire, on arrive à l'explication suivante : sois un directeur, un leader charismatique, autocratique, qui dicte quoi faire à ses enseignants et tous les enseignants sauront quoi faire tant et aussi longtemps que tu seras là, à leurs côtés. Cependant, montre aux enseignants comment se prendre en main, comment faire le travail eux-mêmes, développe chez eux la mobilisation à l'égard d'un projet, augmente leur engagement, laisse-les le faire et ils se débrouilleront sans toi ; ils sauront être autonomes en menant des activités étonnantes et ils t'apprendront à innover. C'est en ces quelques lignes qu'on peut définir le superleadership.

Selon Manz et Sims (1989 : 5), le superleadership est le fait de stimuler, de faciliter le développement de l'autoleadership chez les autres et de reconnaître l'auto-influence comme un outil efficace pour atteindre l'excellence. Bref, c'est amener les autres à s'autogérer. Le tableau 9.1 donne un aperçu de la différence entre le leadership traditionnel et le superleadership.

DÉFINITION

Le superleader est un administrateur qui :
- recherche l'excellence ;
- pratique un leadership renouvelé ;
- est avant tout un autoleader ;
- est toujours prêt à donner un exemple d'altruisme ;
- est rempli d'un sentiment d'appartenance envers son unité ;
- dirige les membres de son équipe en les amenant à se diriger eux-mêmes ;
- prône l'auto-influence auprès des membres de son équipe ;
- n'est ni autoritaire ni autocratique ;
- encourage l'innovation de ses collègues ;
- contrôle tout en s'impliquant dans les activités d'apprentissage de l'autoleadership.

Tableau 9.1
DIFFÉRENCES ENTRE LE LEADERSHIP TRADITIONNEL ET LE SUPERLEADERSHIP

Leadership traditionnel	*Superleadership*
Approches	**Approches**
Leadership autocratique, charismatique, situationnel, transformatif	Leadership considérant l'aspect professionnel de l'autorité
• processus de contrôle	• processus d'influence
• déterminants de l'efficacité du leadership (caractéristiques, traits, comportements)	• décentralisation • action selon la compétence
Autorité psychologique	Altruisme
Processus : attitude à adopter	Autonomie : stimuler et faciliter l'autoleadership
Un seul leader	Plusieurs leaders
Conséquences	**Conséquences**
Non-revalorisation des pairs	Augmentation du pouvoir des pairs
Absence d'enseignants dans le processus de décision	Implication du pouvoir des pairs
Sous-utilisation du potentiel et de l'expertise des enseignants	Implication des enseignants dans les processus de prise de décision
Isolement	Sentiment d'appartenance à l'école
Négation de soi	Implication soutenue dans le travail
Mécontentement, non-satisfaction	Augmentation de la satisfaction
Démotivation, angoisse, *burn-out*	Augmentation de la motivation et de l'efficacité
Apathie	Résolution des problèmes personnels
Problèmes d'alcool, de drogue	Adhésion volontaire à l'école, à l'équipe de travail pour soi et pour l'école en collaboration avec les administrateurs
Contrôle excessif	Augmentation de la performance
Performance moindre	Autonomie, initiative, valorisation

APPORT DES CADRES DE LA COMMISSION SCOLAIRE AUX DIRECTEURS D'ÉCOLE

Le cadre scolaire doit être pour les directions scolaires un superleader. En tenant compte des nouvelles transformations scolaires, il doit non seulement s'ajuster au nouvel environnement proposé par les États généraux de l'éducation, mais surtout être le moteur du mouvement de l'excellence dans les écoles. Afin de participer à cette métamorphose, le cadre doit posséder un grand pouvoir d'influence, ce qui l'amènera à se poser les question suivantes : Ai-je l'intention de faire quelque chose d'important dans ma commission scolaire ? Puis-je m'adresser aux personnes qui peuvent m'aider à réaliser ce que je désire ? Ai-je suffisamment de crédibilité et de compétence pour présenter mes dossiers ? Est-ce que je participe à chacune des phases du processus de décision pour des questions importantes dans mon équipe ? Puis-je avoir accès à des personnes importantes à l'intérieur ou à l'extérieur de l'organisation ? Répondre par l'affirmative à chacune de ces questions prouve que le cadre a suffisamment de pouvoir dans la commission scolaire pour agir comme un superleader.

Une des meilleures stratégies pour accroître le pouvoir du cadre consiste à augmenter le pouvoir des membres de son équipe. Un vrai leader qui veut que ses subordonnés détiennent un pouvoir important doit créer chez ces derniers le sens d'appartenance, accroître leur fierté, les informer des plus récentes découvertes qui affectent leurs fonctions et l'organisation, rechercher les projets qui augmenteront leur autorité et leurs responsabilités dans la prise de décision et reconnaître les efforts de chacun. Il est possible d'atteindre l'excellence seulement si les cadres de service ont décidé de mettre à profit le vaste potentiel du personnel de l'école. De façon plus particulière, les cadres doivent travailler, non pas à leur propre édification, mais à exercer leur influence sur les directeurs afin qu'ils fassent eux-mêmes valoir leur leadership pour atteindre l'excellence.

Les vrais leaders ne sont pas des héros, mais des fabricants de héros. Le rôle d'un véritable leader n'est pas d'attirer l'attention sur lui-même, mais de promouvoir le leadership chez les autres, lesquels sont inspirés par son potentiel et son efficacité. Développer le leadership de la direction de l'école est la clé qui assure l'excellence. Comment le cadre peut-il donc s'y prendre pour offrir son service aux écoles ? Cela peut se faire de diverses manières, notamment en contribuant à l'amélioration des habiletés de gestion et de supervision des directeurs d'école et des enseignants et en répondant à leurs demandes de soutien. De façon concrète, la démarche proposée est de faire de l'administration centrale un centre de services à la disposition des écoles.

Dans le champ de sa spécialisation, le cadre peut guider, diriger, orienter les actions de la direction, qui, au départ, est souvent peu familière avec les fonctions à remplir et n'a pas nécessairement acquis les habiletés nécessaires. Le cadre peut alors guider la participation du directeur en lui posant une série de questions qui lui donneront l'occasion de réfléchir à son nouveau rôle, de prendre des décisions et de les appliquer. Cela l'aidera à accroître son autonomie.

Par la suite, le cadre pourra se transformer peu à peu en enseignant auprès du directeur pour l'entraîner à développer les habiletés inhérentes aux fonctions à réaliser. Il acquerra progressivement une plus grande maturité professionnelle et le rôle de cadre se limitera alors à celui de soutien. Le cadre devient alors une personne-ressource centrale, capable de mettre au service de la direction de l'école :

- un niveau de connaissances élevé dans le domaine de sa spécialisation ;
- le flair de ce qui se passe dans le domaine ;
- son expertise en rapport avec les éléments en cause ;
- un processus d'élaboration d'une vision ;
- sa très grande expérience dans le domaine ;
- sa sensibilité à ce qui se passe dans l'environnement.

Le cadre de service qui contribue au développement de l'autonomie du directeur, qui l'aide à réaliser ses objectifs et à résoudre ses problèmes effectue un transfert de ses responsabilités. Il peut avoir l'impression de perdre le contrôle de ses dossiers, mais, à long terme, ce changement est désirable puisqu'il augmente l'efficacité de l'apprentissage (figure 9.2).

La direction d'école étant invitée à assumer plus de responsabilités, le rôle des cadres de service et des coordonnateurs doit alors changer radicalement. Si les rôles demeuraient intacts, il y aurait un chevauchement de rôles, c'est la raison pour laquelle une modification de rôle paraît nécessaire dans ce cas.

Les modifications de rôle entre les cadres et la direction de l'école doivent se préciser par une série de discussions entre le directeur d'école, les cadres et le directeur général. Grâce à ces rencontres où un consensus est recherché, les cadres et les directeurs d'école travaillent ensemble à l'atteinte de l'excellence de l'école.

Somme toute, le cadre de service, dans son cheminement de superleadership, doit :

- être le point de mire des administrateurs ;
- accroître sa crédibilité ;

Figure 9.2

RÔLE DES CADRES DE SERVICES AUPRÈS DES DIRECTIONS D'ÉCOLE

Cadre de service	*Rôle auprès des directeurs*
1. S'adapter à un nouvel environnement. 2. Posséder un grand pouvoir d'influence : • volonté, • crédibilité, • disponibilité, • facilité de contact. 3. Avoir une vision. 4. Accepter l'excellence comme leitmotiv. 5. Être un autoleader. 6. Être un superleader : • avoir la capacité d'augmenter les pouvoirs des membres des écoles et de développer leur potentiel ; • créer un sens d'appartenance ; • développer la fierté ; • informer des récents changements qui affectent l'organisation ; • reconnaître les efforts des autres.	1. Soutien aux écoles : • travailler à l'implantation des conditions favorisant l'autonomie de l'école ; • améliorer les habiletés de gestion et de supervision des directeurs et des enseignants. 2. Guider, diriger et orienter les actions de la direction. 3. Entraîner le directeur à développer les habiletés inhérentes aux fonctions à réaliser. 4. Donner un feed-back. 5. Encourager, renforcer l'autoleadership et le superleadership. 6. Faire acquérir les aptitudes à exercer les fonctions.

- stimuler et faciliter la capacité et les pratiques de l'autoleadership auprès de la direction de l'école ;
- considérer la prise en charge par la direction de l'école comme une occasion de favoriser l'excellence des écoles plutôt qu'un processus

de contrôle externe et d'autorité de la part des cadres de service ;

– donner graduellement au directeur la responsabilité d'un ensemble de fonctions importantes que le directeur, à son tour, pourrait partager avec ses enseignants ;

– fournir aux membres de la direction de l'école l'autonomie nécessaire pour qu'ils soient responsables d'eux-mêmes et de leur travail.

Malheureusement, le système scolaire a encouragé la dépendance des écoles à l'égard des services. Les directeurs d'école, habitués à l'autorité des cadres, ont tendance à les voir comme étant ceux qui prennent les décisions qui les concernent. Le rôle du cadre devient critique dans la réorganisation scolaire. Il doit jouer un rôle charnière qui permet à la direction de l'école de se prendre en charge. Par ailleurs, si le climat de l'école était positif, si le directeur et les enseignants étaient efficaces, les responsabilités seraient décentralisées dans les écoles. Plus ces conditions seraient positives, plus la direction de l'école serait prête à les partager avec les enseignants, comme l'indique la figure 9.3.

Il est important de noter que le succès ne sera pas immédiat, mais qu'on atteindra probablement les mêmes résultats que dans la culture du bambou. Clemmer et McNeil (1988) rapportent que, pour le bambou, on plante d'abord la semence, on l'arrose, on la fertilise. La première année, rien ne se produit. La deuxième année, on l'arrose et on la fertilise de nouveau, mais rien ne se produit encore. Enfin, au cours de la cinquième année, en moins de six semaines, la plante pousse de 90 pieds (30 mètres). Au fait, le bambou a-t-il poussé de 90 pieds en six semaines ou en cinq ans ? Effectivement, en cinq ans, car, si on avait cessé de l'entretenir durant les quatre premières années, la plante serait morte. Les cadres et les directeurs ne sont-ils pas les jardiniers qui veillent à la transformation de leur organisation ?

FACTEURS IMPORTANTS DU SUPERLEADERSHIP

Le directeur qui opte pour le superleadership favorise la mise en place d'une autogestion dans le but ultime d'améliorer la qualité de l'enseignement. Afin d'atteindre ce but, il doit tenir compte de certains facteurs déterminants. Caldwell et Spinks (1992) présentent six facteurs importants dans la réalisation du superleadership :

1. Être capable de travailler avec les collègues et de formuler avec eux la vision de l'école.

Figure 9.3

MODÈLE DE L'AUTO- ET DU SUPERLEADERSHIP

Commission scolaire	**Direction d'école**	**Équipe enseignante**
	Superleadership	**Autoleadership**
Relation avec les pairs. Amélioration de l'habileté de gestion des directions en vue de l'excellence.	1. *Démarches préliminaires :* • réfuter le statu quo, • rechercher l'excellence, • opter pour le changement, • s'engager dans le changement. 2. *Être un autoleader :* • apprendre à être autonome, • mettre en pratique les outils et les stratégies de l'autogestion, • amener les enseignants au changement. 3. *Exercer le superleadership :* • encourager l'autoleadership, • servir de modèle aux enseignants, • enseigner l'autoleadership, • stimuler et faciliter l'auto-influence.	1. *Démarches préliminaires :* • remettre en question le statu quo, • se convaincre des choses à améliorer, • rechercher l'excellence, • accepter le changement, • accepter de s'autogérer. 2. *Autogestion et auto-influence* • Déterminer les buts et objectifs à atteindre, • mettre en pratique l'autogestion, • s'auto-observer, • s'autocritiquer, • s'autorécompenser. 3. *Acquisition totale de l'autonomie.*
Cadres : Faire du directeur un autoleader et un superleader.		

Facilitation du travail : • de l'enseignant, • du directeur, • des cadres.	**Conséquence : autonomie**	*Climat de travail sain :* • partenariat, • collégialité, • excellence.

2. Avoir une vision d'école qui incite les enseignants à se dépasser.

3. Transmettre la vision de telle sorte qu'elle stimule la participation des collègues, des parents et des élèves.

4. Savoir que plusieurs facettes sont liées à la position de leader et en tenir compte : les facettes techniques, humaines, éducatives, symboliques et culturelles.

5. Être un gestionnaire stratégique, à l'affût des différentes découvertes du monde scolaire et en prévoir l'impact sur son école.

6. Savoir que le leader qui donne du pouvoir à ses collaborateurs possède la clé du succès de son équipe qui, conséquemment, se gère dans le respect des décisions.

SUPERLEADERSHIP : STRATÉGIES

Le superleadership est un leadership renouvelé pour lequel le directeur adopte des stratégies en trois étapes.

Première étape : démarches préliminaires

Remettre en question le statu quo

Le leader qui opte pour le superleadership doit tout d'abord prendre conscience des changements sociaux, technologiques et économiques qui surviennent dans les organisations. Ensuite, il doit faire un constat d'échec au sujet du leadership traditionnel et se rendre compte des conséquences néfastes qu'il a sur les employés et même sur l'organisation tout entière. Si, dans une école, les choses ne fonctionnent pas comme les membres le souhaitent, le directeur se doit, avec son équipe, de tenter de cerner le problème, de déterminer les besoins à combler pour que l'école fonctionne et de réfléchir à la meilleure façon de procéder pour changer la situation. Le directeur doit répondre aux questions suivantes :

– Quelle perception a-t-on de notre école ?

– Dans quel état se trouve-t-elle ?

– Quelles sont les circonstances qui nous amènent à constater qu'il y a matière à changement et à amélioration ?

– Que devons-nous faire pour apporter les changements requis ?

Rechercher l'excellence

Aucun directeur ne voudrait voir son établissement classé parmi les moins efficaces. Il existe en toute personne un côté ambitieux, toujours en quête d'excellence et de succès. Le directeur doit viser la qualité totale tant recherchée.

Questions :

- Est-ce que nous désirons que notre école fasse partie des écoles considérées comme étant excellentes ?
- Quels sont les éléments de l'excellence que nous privilégions pour notre école compte tenu des constatations faites et des changements ou améliorations à apporter ?

Opter pour le changement

La recherche de l'excellence amène tout leader au changement dans le but d'améliorer son organisation. Ce changement doit s'opérer en tenant compte des anciennes façons de faire et des pratiques nouvellement utilisées dans d'autres institutions et qui ont donné de bons résultats.

Questions :

- Que devons-nous faire, en tant qu'équipe, pour hisser notre école au rang de l'excellence ?
- Quelles sont les pratiques de gestion en vigueur dans les autres établissements scolaires qui peuvent contribuer à la croissance que nous souhaitons pour notre école ?

Se préparer au changement

Le directeur doit se préparer à changer de mentalité en acceptant d'être d'abord un autoleader et, aussi, un superleader. Il lui faut donc acquérir une formation de superleadership. Cette formation est la responsabilité de l'organisation et de chacun des individus.

Questions :

- Comment s'y prendre pour penser et faire les choses autrement ?
- Quelles sont les stratégies à adopter pour amener notre école à l'excellence ?

Deuxième étape : se former au superleadership

Apprendre à rendre autonome

Le superleader qui recherche l'autonomie des membres de son équipe doit se poser les questions suivantes :

- Quel est mon but en tant que directeur de mon unité ?
- Quels sont les facteurs déterminants qui me permettraient de diriger les membres de mon équipe en vue de les amener à se diriger eux-mêmes ?
- Quelles sont les aptitudes et attitudes qui incitent les autres à s'auto-influencer ?

Le but du directeur superleader est d'utiliser le changement comme une occasion pour améliorer l'éducation des élèves, l'apprentissage des enseignants, les relations entre le personnel, entre les élèves, et entre les cadres de service et la communauté.

Le directeur superleader doit :

- être convaincu que les enseignants peuvent contribuer à changer des choses, en procédant différemment et même mieux qu'avant ;
- chercher à savoir ce qui pousse les enseignants à se dépasser, ce qui détermine leur but, leurs désirs et besoins, en d'autres termes, ce qui les motive. Le tableau 9.2 montre les facteurs de motivation des enseignants au regard des styles de leadership utilisés ;
- accroître les capacités de l'équipe-école d'assumer ses responsabilités ;
- viser la prise en charge des responsabilités par l'équipe-école ;
- reconnaître et valoriser l'expertise des membres de l'équipe-école ;
- laisser une marge de manœuvre au développement pédagogique de l'école ;
- encourager les initiatives de l'équipe-école ;
- favoriser l'organisation de rencontres pour échanger sur des problèmes inhérents à la pratique professionnelle des membres de l'équipe-école.

Amener les enseignants au changement

Le directeur doit :

- tout d'abord, réfléchir avec l'équipe-école sur les échecs dus au dysfonctionnement de la gestion verticale ;
- ensuite, les amener à désirer et à rechercher l'excellence comme étant une condition sine qua non ;

Tableau 9.2
ÉLÉMENTS DE MOTIVATION DE L'ENSEIGNANT

Avant 1980	*De 1980 à nos jours*
Vision administrative.	Vision collective.
Intérêts personnels.	Intérêts collectifs.
Transmettre les connaissances.	Transmettre les connaissances tout en s'initiant aux nouvelles approches pédagogiques visant l'amélioration de l'apprentissage.
Enseigner aux élèves et être maître de sa classe.	
Bénéfices pécuniaires.	Enseigner aux élèves, apprendre d'eux et des collègues enseignants.
Joie que procure le travail lui-même.	
Calendrier scolaire et vacances.	Bénéfices pécuniaires et valorisation pour un travail bien fait.
Prestige auprès des pairs, des élèves, des parents et de la communauté.	Engagement dans l'apprentissage des innovations et découvertes.
Satisfaire les exigences de l'organisation.	Changer des choses à l'école.
Atteindre des objectifs perçus comme réussite organisationnelle.	Atteinte des objectifs perçue comme réussite personnelle et collective.
Occasion de satisfaire.	Occasion d'innovation, de réalisation personnelle et collective.
Satisfaction suscitée par les bénéfices pécuniaires.	Satisfaction et enthousiasme dans le travail.
	Perception intégrative de l'enseignement et des élèves (approche holistique).

- puis, les amener à accepter et à proposer le changement comme une piste pouvant mener à l'excellence;
- enfin, les amener à vouloir être des autoleaders.

Troisième étape : rendre les enseignants autoleaders

Encourager l'autoleadership

Le superleader doit :

- reconnaître en chaque enseignant un potentiel d'autoleader et l'encourager. Personne ne naît leader; le leadership s'apprend et s'acquiert;

- faire confiance au potentiel caché et apparent de chaque enseignant et le lui signifier clairement ou le lui faire découvrir, surtout lorsqu'il manifeste un manque de confiance ou une faible estime de soi ;
- déléguer l'autorité et la responsabilité à chaque enseignant pour innover ;
- encourager l'enseignant à exercer son esprit d'initiative ;
- chercher en chaque enseignant des qualités cachées et apparentes et les développer, car plus on développe les capacités des employés, plus on leur fait confiance, et plus on est à l'aise de leur confier des tâches de plus en plus difficiles.

Servir de modèle aux enseignants

L'équipe-école doit trouver en son supérieur un modèle à imiter, modèle auprès duquel chacun apprendra l'autoleadership ; un tel directeur est un superleader. Le général Eisenhower en fut un, sauf qu'à cette époque-là, on ne lui a pas reconnu ses qualités de superleader tant son comportement contrastait avec les théories traditionnelles sur le leadership. Manz et Sims (1989 : 108) le présentent comme suit :

> Selon le point de vue tout à fait récent, le président Eisenhower était un leader très actif, ayant beaucoup d'influence, quoiqu'il fût homme à se contenter de diriger à travers les autres et à influencer tranquillement, avec agilité, en retrait. Il cédait volontiers la place aux autres plutôt que de se préoccuper de rester au centre de la scène. Dans ce sens, le règne d'Eisenhower (en tant que président) est très similaire à la direction militaire. Sa plus grande contribution, à la fois comme dirigeant militaire et dirigeant politique, était peut-être son habileté flexible mais efficace à amener les autres à se diriger eux-mêmes. (Traduction libre)

Les hommes n'agissent pas nécessairement en se basant sur les prescriptions de leur institution ; ils ont surtout besoin de voir leur idéal incarné dans un homme qui les entraîne à sa suite par la séduction de son exemple. Ainsi, le directeur veillera à n'offrir à ses subordonnés que des exemples à imiter. Qu'il le veuille ou non, le chef est un point de mire. Les yeux de ses subordonnés sont constamment braqués sur lui et son exemple a d'autant plus d'effet qu'il est plus apprécié.

Le directeur sert de lien essentiel entre l'école et la communauté. La manière dont il performe détermine largement l'attitude des élèves et des parents à l'égard de l'école. Si cette dernière est un milieu où il fait bon vivre, où l'on innove volontiers, les parents seront portés à y inscrire leurs enfants. Si l'école a une réputation d'excellence, on ne peut que désigner le leadership de son chef comme une clé importante du succès de l'école.

Le directeur doit aussi :

- manifester à l'équipe-école la confiance qu'il a en elle et en lui-même ;
- bâtir des équipes et être perçu comme un facilitateur de ces équipes ;
- considérer l'équipe-école comme constituée de collègues. Le directeur doit arriver à faire sentir à son équipe qu'il ne la fait pas travailler, mais qu'il travaille avec elle et, surtout, l'amener à avoir la certitude de contribuer à la vie de l'école ;
- établir des normes de travail pour le bon fonctionnement de l'équipe et, par ricochet, de l'école tout entière ;
- donner du soutien à l'équipe-école (tenir compte du temps et fournir du matériel, de l'information et les appuis nécessaires) et assurer la rétroaction et le suivi ;
- recruter, sélectionner et embaucher des enseignants leaders qui correspondent à la culture de l'école, qui inspirent confiance, tout en intégrant au comité de sélection les différentes équipes de l'école ;
- être au courant de ce qui se passe dans les différentes équipes et planifier en fonction des décisions qui s'y sont prises concernant les tâches du personnel ;
- partager la même vision et les mêmes buts avec le personnel qui doit être appelé à participer à l'élaboration des plans de l'école ;
- accepter le risque ; il est possible que les décisions prises par l'équipe de travail ne soient pas les bonnes. Le directeur doit donner à l'équipe le droit à l'erreur (Alkire, 1993 ; Morin, 1993) ;
- le directeur ne doit pas être trop dépendant ni de la commission scolaire ni de son personnel. L'autonomie démontrée est la clé du succès d'un superleader.

Le directeur doit d'abord enseigner les habiletés et comportements reliés à l'autoleadership, ensuite, amener les enseignants à les développer et, enfin, les rendre aptes à contrôler leurs propres actions dans le travail.

Stimuler et faciliter l'auto-influence

L'auto-influence est le catalyseur de l'autoleadership. C'est un contrôle qui vient de l'enseignant lui-même plutôt que de ses supérieurs. Cependant, l'enseignant requiert du pouvoir pour développer son auto-influence. Aussi, l'efficacité du superleader dépend-elle de la façon dont il permet à l'enseignant de se prendre en main, d'assumer ses responsabilités, car l'auto-influence, plutôt que l'influence provenant du supérieur, est une occasion très puissante pour enraciner l'excellence.

Le superleader doit donc :

– amener les enseignants à se fixer des buts et des objectifs à atteindre ;
– créer et introduire une culture de l'autoleadership dans l'école ;
– amener les enseignants à former des équipes de travail ;
– amener les enseignants à se récompenser et à s'autocritiquer.

L'AUTOLEADERSHIP

Manz et Sims (1989) ont mené une étude auprès de plusieurs centaines d'employés d'une manufacture d'ordinateurs sur leur qualité de vie au travail. Selon les auteurs, les employés les plus jeunes, spécialement ceux issus de la période du baby-boom qui ont un niveau de scolarisation plus élevé, avaient une piètre qualité de vie au travail et se considéraient moins satisfaits que leurs pairs plus âgés qui n'y trouvaient aucun inconvénient. Les conclusions révèlent que les méthodes traditionnelles de leadership administratif ne convenaient pas aux jeunes employés. Ces derniers, formés beaucoup plus dans l'optique de l'autosuffisance intellectuelle, souhaitaient une plus grande implication dans leur travail et avaient un fort esprit d'initiative. Ils ne voulaient pas se faire mener, mais travailler à la hauteur de leurs talents et capacités dans un climat de confiance, de soutien mutuel, tout en s'influençant positivement et en faisant montre d'autoleadership.

De plus, l'étude de Chubb et Moe (1990), citée par Morin (1993), effectuée auprès de certaines écoles, montre que celles qui ont adopté l'autoleadership et le superleadership sont plus efficaces, mieux organisées, et ont une meilleure qualité d'enseignement.

L'autoleadership est l'aboutissement heureux du travail d'un superleader. Selon Manz et Sims (1989 : 18), « l'autoleadership est une philosophie et un ensemble de stratégies de comportements et de stratégies cognitives utilisées pour s'autodiriger en vue d'atteindre des performances élevées et d'être très efficaces au travail » (traduction libre).

L'autoleadership concerne les employés, les enseignants et les administrateurs, alors que le superleadership vise les administrateurs en position d'exercer une autorité sur un groupe d'individus. Mais, avant d'être un superleader, l'administrateur ou le directeur d'école doit lui-même acquérir des façons de penser et de faire, et des techniques pour développer son autonomie et celle des enseignants. L'autoleadership est ce que l'employé fait pour se diriger lui-même ; c'est une forme d'autoconduite responsable qui confère à la personne l'autonomie et la responsabilité de diriger sa propre vie.

AUTOLEADERSHIP : STRATÉGIES

Démarches préliminaires

L'enseignant qui veut devenir un autoleader doit :
- rechercher l'excellence ;
- remettre en question le statu quo ;
- se convaincre des choses à améliorer ;
- accepter le changement ;
- accepter d'être un autoleader.

Stratégies d'auto-influence

Déterminer les buts et les objectifs

L'enseignant conscient de la mission de l'école doit :
- se fixer des objectifs de travail à court, à moyen et à long terme ;
- établir ses propres directives et ses propres priorités, et éliminer les éléments superflus qui pourraient entraver le bon fonctionnement du travail et l'atteinte des objectifs fixés ;
- gérer son temps en tenant compte de son échéancier ;
- essayer, le plus possible, d'aménager sa classe de manière à la rendre propice au travail.

Mettre en pratique l'autoleadership

L'exercice constitue une stratégie importante pour l'autoleadership. C'est en s'exerçant qu'on découvre ses erreurs et qu'on s'améliore. L'enseignant qui observe le directeur, superleader, et qui essaie de l'imiter connaîtra du succès. Pour Manz et Sims (1989 : 20-21) : « Visualiser les tâches importantes avant de les assumer, afin qu'elles ne se fassent pas automatiquement, peut contribuer de façon significative à la performance. » (traduction libre)

L'enseignant doit donc :

– tenir compte de la vision et de la mission de l'école en se reportant le plus possible au projet éducatif ;

– se dire qu'il peut jouer un rôle important ;

– être à l'affût des nouvelles découvertes qui ont un rapport direct avec son enseignement, avec l'apprentissage des élèves et avec l'amélioration de la performance de chacun ;

– s'en remettre à la culture personnelle afin de trouver des réponses appropriées aux questions et aux difficultés rencontrées ;

– éliminer la crainte que suscite l'utilisation des nouvelles technologies et techniques d'apprentissage pour améliorer la performance des élèves ;

– être un leader pour ses élèves et les autres collègues.

S'auto-observer

– Il est important que l'enseignant porte un regard critique sur ce qu'il fait en s'évaluant et en se comparant au superleader.

– Il doit constamment vérifier s'il est plus près de la vision définie qu'il ne l'était précédemment.

– Il doit posséder un cahier de notes dans lequel il relève ses qualités et ses imperfections.

– Il doit passer en revue ses réussites et ses échecs, s'autocritiquer et apporter des changements et des améliorations à la suite de ses propres réflexions, avec le soutien de ses pairs et, surtout, avec celui de son directeur.

S'autocritiquer

Plus l'enseignant sera capable de se féliciter et de réaliser que son intervention a été déterminante, plus il pourra se critiquer. Il doit arriver à reconnaître ses erreurs et prendre les moyens nécessaires pour les corriger.

S'autorécompenser

L'enseignant doit se fixer des standards de performance. Après les avoir satisfaits, il doit se féliciter et s'offrir des récompenses. Cette stratégie pourra le motiver et le rendre efficace dans les travaux plus difficiles. Il peut, par exemple, organiser une sortie soit avec ses élèves, si ses moyens le permettent, soit avec ses collègues.

AUTONOMIE

Toutes ces stratégies, qu'elles ressortent du superleadership ou de l'autoleadership, doivent permettre à l'un ou à l'autre d'être autonome. L'autonomie des membres d'une école et leur autodétermination constituent la clé de l'excellence dans les écoles. L'enseignant, tout comme le superleader, doit passer de l'état de dépendance à l'état d'indépendance relative. Le tableau 9.3 décrit cette situation.

Tableau 9.3
L'ÉTAT DE DÉPENDANCE
PAR OPPOSITION À L'ÉTAT D'AUTONOMIE

Enseignant traditionnel	*Autoleader*
– Amélioration à la suite de l'observation du leader.	– Amélioration à la suite de l'auto-observation.
– Assignation par le leader des objectifs de l'école.	– Autofixation des objectifs.
– Renforcement du leader par rapport à la performance au travail.	– Renforcement interne et externe pour encourager l'autoleadership.
– Motivation fortement basée sur les récompenses extrinsèques.	– Motivation basée sur les récompenses naturelles du travail.
– Critique des leaders.	– Autocritique.
– Prise de décision par la direction.	– Participation aux décisions.
– Résolution des problèmes par la direction.	– Autorésolution des problèmes.
– Assignation externe du travail.	– Auto-assignation du travail.
– Planification du travail par la direction.	– Autoplanification.
– Conception externe du travail.	– Autoconception du travail.
– Contrôle externe du travail.	– Autocontrôle.

CONCLUSION

Ce chapitre a permis de définir et d'approfondir les notions de leadership, d'autoleadership et de superleadership. L'école est une organisation de plus en plus exigeante sur le plan administratif à cause des bouleversements qui surviennent chaque jour, il lui faut donc un leadership approprié. Pour y arriver, l'administrateur et les employés doivent faire montre, chacun de leur côté, d'un leadership que nous appelons autoleadership et superleadership.

La décentralisation est l'occasion pour les enseignants de se prendre en main et d'innover dans leur école. Ils exercent un autoleadership en prenant, sur le plan pédagogique, des décisions responsables en vue d'améliorer l'apprentissage des élèves. L'autoleadership des enseignants se traduit également par leur implication dans une gestion centrée sur l'école.

La direction de l'école, par son superleadership, stimule et facilite le développement de l'autoleadership en reconnaissant l'auto-influence comme un facteur d'implication des enseignants dans le processus décisionnel qui entoure l'acte pédagogique.

| INSTRUMENT | *Ce chapitre a mis en évidence les nouveaux rôles des directeurs d'école au regard de l'autoleadership et du* *superleadership. Le directeur qui opte pour le superleadership favorise la mise en place d'une autogestion dans le but ultime d'améliorer la qualité de l'enseignement. L'enseignant exerce un autoleadership quand il agit d'une façon autonome et responsable tout en respectant les balises qui lui ont été proposées par son directeur.*

L'instrument présenté permet à l'enseignant de s'auto-évaluer et de déterminer s'il se situe plus près d'un enseignant traditionnel ou plus près d'un autoleader. Il n'y a pas de grille d'évaluation. Après avoir complété le questionnaire, il s'agit de joindre les chiffres choisis par des lignes verticales et de tracer ainsi un graphique illustrant le pôle vers lequel la personne s'oriente.

COMPARAISON ENTRE L'ENSEIGNANT TRADITIONNEL ET L'AUTOLEADER

Ce questionnaire présente les éléments en opposant chacun d'eux selon qu'ils décrivent un aspect du comportement d'un enseignant.

Consigne : Il s'agit de situer son choix sur un continuum de 1 à 7 selon qu'il se rapproche plus ou moins de l'une ou l'autre description.

Enseignant traditionnel		Autoleader
Autonomie		**Autonomie**
1. Je suis influencé à améliorer mon travail par les observations de mon supérieur.	1 2 3 4 5 6 7	1. Je suis influencé à améliorer mon travail à la suite de mes auto-observations.
Objectifs		**Objectifs**
2. Les objectifs de l'école sont assignés par la direction.	1 2 3 4 5 6 7	2. Les objectifs de l'école sont assignés par l'équipe-école.
3. Mes objectifs de travail me sont assignés par la direction.	1 2 3 4 5 6 7	3. Je fixe moi-même mes objectifs de travail.
Motivation		**Motivation**
4. Je m'attends à des renforcements de mon supérieur en rapport avec ma performance au travail.	1 2 3 4 5 6 7	4. Je retrouve dans mon travail des renforcements internes, sources de motivation.
5. Ma motivation au travail est fortement basée sur des récompenses extrinsèques.	1 2 3 4 5 6 7	5. Ma motivation est basée sur les récompenses naturelles intrinsèques à mon travail.
Critique		**Critique**
6. Je me précoccupe des opinions et des critiques des leaders sur mes pratiques d'enseignement.	1 2 3 4 5 6 7	6. Je suis capable d'examiner de façon critique mes pratiques d'enseignement (autocritique).
Décisions		**Décisions**
7. Les décisions sur l'enseignement et l'apprentissage sont prises habituellement par la direction de l'école.	1 2 3 4 5 6 7	7. Je participe aux décisions qui sont prises dans mon école relativement à l'enseignement et à l'apprentissage.

Enseignant traditionnel		Autoleader
Résolution de problèmes		**Résolution de problèmes**
8. Je me réfère habituellement à mon supérieur pour la résolution des problèmes dans mon travail.	1 2 3 4 5 6 7	8. Je résouds moi-même les problèmes qui se présentent dans mon travail (auto-résolution des problèmes).
Assignation du travail		**Assignation du travail**
9. Je m'attends à ce que mon supérieur m'indique quoi faire dans le cadre de mon travail.	1 2 3 4 5 6 7	9. Je définis moi-même le cadre de mon travail (auto-assignation du travail).
Planification du travail		**Planification du travail**
10. Je m'attends à ce que mon supérieur intervienne dans la planification de mon travail.	1 2 3 4 5 6 7	10. Je planifie moi-même le travail que j'ai à réaliser (autoplanification du travail).
Conception du travail		**Conception du travail**
11. Je demande à mon supérieur ce qu'il attend de moi dans le cadre du travail que j'ai à réaliser.	1 2 3 4 5 6 7	11. Je détermine moi-même la façon de réaliser mon travail (auto-conception du travail).
Contrôle		**Contrôle**
12. Je m'attends à ce que mon supérieur me dise ce qu'il pense de mon travail et qu'il en contrôle la réalisation.	1 2 3 4 5 6 7	12. J'établis mes critères de performances et je procède au contrôle de mon travail (autocontrôle).

BIBLIOGRAPHIE

ALKIRE, G. (1993). « Shared Leadership », *Thrust for Educational Leadership*, 26-30.

BENNIS, W. et B. NANUS (1985). *Leaders : The Strategies for Taking Charge*, New York, Harper Collins.

BRUNET, L., A. BRASSARD, L. CORRIVEAU et R. PÉPIN (1985). *Le rôle du directeur d'école au Québec : Première partie*, Montréal, Université de Montréal.

CALDWELL, I.B. et J. SPINKS (1992). *Leading the Self-Managing School*, Washington, The Falmer Press.

CHUBB, J. et T. MOE (1990). *A Place Called School*, New York, Basic Books.

CLEMMER, J. et A. MCNEIL (1988). *La stratégie V.I.P.*, Saint-Laurent, Québec, Éditions du Trécarré.

DUIGNAN, P. et R. MACPHERSON (1993). « Educative Leadership : A Practical Theory », *Education Administration Quarterly*, 29 (1), 8-33.

ÉTHIER, G. (1989). *La gestion de l'excellence en éducation*, Sainte-Foy, Presses de l'Université du Québec.

GETZELS, J.W. et E.G. GUBA (1957). « Social Behavior and the Administrative Process », *The School Review*, 65, 423-441.

HERSEY, P. et K.H. BLANCHARD (1988). *Management of Organizational Behavior : Utilizing Human Ressources*, 5e édition, Englewood Cliffs, Prentice-Hall.

KATZ, D. et R. KAHN (1978). *The Social Psychology of Organizations*, 2e édition, New York, John Wiley and Sons.

KOUGBÉNÉVA-KOFFI, V. (1991). *Rôle, priorité de rôle et conflit de rôle des directeurs d'école primaire de la circonscription pédagogique d'Ogou-Sud au Togo*, Thèse de doctorat inédite, Université Laval, Sciences de l'éducation.

LAM, D. (1990). *Reinventing School Leadership-Humble Pie*, National Center for Educational Leadership, Cambridge, Harvard University.

LINDELOW, J. et S. BENTLEY (1989). « Team Management », dans SMITH, S.C. et PICKLE, K. (dir.). *School Leadership : Handbook for Excellence*, 2e éd., Eugène, ERIC, Clearinghouse on Educational Management, College of Education, University of Oregon.

LIKERT, R. (1961). *New Patterns of Management*, New York, McGraw-Hill.

MANZ, C.C. et H.P. SIMS (1989). *Super Leadership : Leading Others to Lead Themselves*, New York, Prentice-Hall.

MAZZARELLA, J. et C.B. SMITH (1989). *School Leadership, Handbook for Exellence*, 2ᵉ éd., ERIC Clearinghouse on Educational Management, College of Education, University of Oregon, deuxième édition.

MORIN, N. (1993). *Le self et le super leadership*, Travail de session inédit, Trois-Rivières, Université du Québec à Trois-Rivières.

SERGIOVANNI, T. (1992). *Moral Leadership: Getting to the Heart of School Improvement*, San Francisco, Jossey-Bass Publishers.

STOGDILL, R.M. (1974). *Handbook of Leadership*, New York, Free Press.

TANNENBAUM, R. et W.H. SCHMIDT (1973). « How to Choose a Leadership Patterns », *Havard Business Review*, 321-338.

ZALEZNIK, A. (1989). *The Managerial Mystique: Restoring Leadership in Business*, New York, Harper Collins.

L'IMPUTABILITÉ
EN MILIEU SCOLAIRE

La valeur d'un professeur se mesure à la
personnalité de ses élèves.

René LERICHE

INTRODUCTION

La responsabilité de la mission éducative est assurée, dans le système scolaire, par un ensemble de personnes qui œuvrent à différents paliers. Chacune d'elles détient un pouvoir limité et partiel sur la conduite des affaires éducatives, ce qui rend difficile la formulation de jugements sur l'ensemble des résultats et des actions entreprises.

Comme on n'est pas très au clair sur ce que l'on produit, on se montre peu enclin à faire preuve de transparence à l'égard du milieu. Évaluer les résultats et rendre des comptes au milieu ne font pas encore suffisamment partie des mœurs éducatives. Cependant, l'éclatement actuel des coûts vient remettre en question la pertinence du modèle centralisé et invite à réfléchir sur de nouveaux modèles d'organisation du travail. L'obligation de rendre des comptes des acteurs est devenue une réalité incontournable et une condition essentielle à la survie de nos organisations et à la pérennité de nos emplois.

La gestion de l'éducation doit désormais exposer plus systématiquement les réponses qu'elle apporte aux besoins de la population et
faire connaître les coûts des services qu'elle dispense. Cela exige qu'on
resitue l'entreprise d'évaluation dans une perspective plus juste pour la
mettre au service de la communauté et qu'on favorise dans chaque
milieu éducatif le développement d'une véritable éthique sociale par
rapport aux services rendus.

Que des comptes soient rendus, c'est à tous les paliers de la structure
qu'on doit l'exiger. Le ministère de l'Éducation doit examiner la pertinence de ses gestes au regard des commissions scolaires et remettre en
cause certaines opérations s'il y a lieu. Il en est de même des commissions
scolaires et des établissements. Les pratiques de reddition de comptes
doivent porter sur les actes éducatifs du personnel enseignant et sur les
actes de gestion du personnel de l'administration.

Le présent chapitre tentera de jeter un peu de lumière sur ce concept
d'obligation de rendre des comptes, qui est encore peu développé dans nos
milieux scolaires, et de proposer un modèle intégré de reddition de comptes.

DÉFINITION DE L'IMPUTABILITÉ

L'autorité légitime prend sa source au sommet de la hiérarchie, mais elle
peut être déléguée. Toutefois, la délégation d'autorité implique *de facto*
une reddition de comptes du subordonné à son supérieur. Plusieurs termes
recouvrent cette réalité de la reddition de comptes qui est, en réalité,
une démonstration publique de la pertinence des actions entreprises et
des résultats atteints.

Dans la littérature managériale, on retrouve abondamment le
terme « *accountability* » qui est généralement défini comme l'obligation
personnelle, la responsabilité qu'a un cadre ou un employé de répondre
à son supérieur de la quantité et de la qualité des actions et des décisions
prises en relation avec les mandats qu'il a reçus. Elle comporte également
l'application de sanctions organisationnelles.

Le terme « imputabilité » est un néologisme québécois qui a été créé
de toutes pièces, au début des années 1970, pour traduire le mot anglais
accountability. Par ce vocable, on a voulu apporter plus de précision à ce
que l'on désignait jusqu'alors sous le terme générique de responsabilité. Il a surtout été utilisé jusqu'à maintenant dans le domaine de la

vérification financière des organismes gouvernementaux. L'imputabilité y est considérée comme la principale garantie contre l'abus du pouvoir délégué et l'assurance que le pouvoir servira à réaliser les objectifs, généralement acceptés, avec la plus grande efficience, la plus grande efficacité, la plus grande probité et le plus grande prudence possible.

L'imputabilité est le gage exigé par la démocratie lorsqu'elle accorde un pouvoir, que ce soit à un gouvernement central ou à un gouvernement local. En outre, selon Romzek et Melvin (1987), elle « est l'ensemble des moyens que se donnent les organisations publiques pour gérer les attentes qui proviennent de l'intérieur comme de l'extérieur de l'organisation ». Selon Etzioni (1975), il existe trois significations populaires associées à l'imputabilité :

- une plus grande responsabilité à l'égard des supérieurs ;
- une plus grande sensibilité envers les besoins de la communauté ;
- un plus grand respect des normes et des standards de moralité.

Dans la littérature, il est souvent question d'imputabilité financière. Les taxes scolaires ont-elles été perçues correctement ? Les sommes d'argent votées ont-elles servi à des dépenses approuvées ? Les dépenses ont-elles dépassé les montants autorisés ? Les programmes ont-ils été évalués et les résultats communiqués chaque fois que cela a été possible ? Quelles mesures a-t-on prises pour corriger les faiblesses administratives ? Ces questions touchent la qualité de la gestion et le contrôle des deniers publics. La commission scolaire a une responsabilité concommitante de rendre compte de ce qu'elle a fait avec l'argent et les pouvoirs qui lui ont été accordés.

Quant à elle, l'imputabilité pédagogique consiste à établir et à assurer la qualité du rendement scolaire des élèves. On définit au préalable un ensemble précis de critères pour juger du rendement afin de permettre aux personnes concernées de savoir ce que les élèves sont censés avoir appris à la fin d'un cours ou d'une année d'études. Un tel cadre d'analyse peut et doit servir à surveiller le progrès des élèves et le rendement du système, en vue de les améliorer éventuellement. Les résultats de cette surveillance doivent être communiqués aux intéressés en temps opportun et en termes non équivoques.

On emploie également, dans le même sens que l'imputabilité, le terme « redevabilité ». Toutes ces expressions ont des liens étroits avec les notions de responsabilisation et de partage du pouvoir dont il est de plus en plus question dans le monde scolaire.

TYPES D'IMPUTABILITÉ

L'imputabilité a été définie comme un ensemble de moyens que se donnent les organisations pour gérer les attentes provenant tant de l'extérieur que de l'intérieur. Ces moyens peuvent donner lieu à une imputabilité objective et à une imputabilité subjective.

IMPUTABILITÉ OBJECTIVE ET IMPUTABILITÉ SUBJECTIVE

– L'imputabilité objective est la responsabilité envers une personne ou une institution qui confie un mandat ou émet une directive ; elle implique une obligation de renseigner sur les résultats atteints. Ainsi, on peut dire que la direction d'école est comptable envers la commission scolaire.

– L'imputabilité subjective, c'est la conscience d'être responsable à l'égard de quelqu'un ou d'un résultat. Prise en ce sens, la responsabilité correspond davantage à l'identification, à la loyauté et à la conscience qu'à l'obligation de rendre des comptes. Par exemple, la direction d'école a l'obligation d'informer les parents des élèves en vertu de l'imputabilité subjective.

Dès que l'on se situe dans le cadre d'une institution, comme c'est le cas dans une commission scolaire, une personne qui détient une autorité est tenue de rendre compte à un supérieur de l'accomplissement des tâches qui lui ont été confiées et d'en assumer personnellement les conséquences. L'imputabilité est de nature hiérarchique et prend racine dans une relation d'autorité fondée sur une disposition légale ou organisationnelle (lois, règles, normes, directives). La délégation de pouvoir permet d'investir un administrateur d'une certaine autorité tout en le soumettant à l'exercice de la vérification par son supérieur. Ainsi conçue, l'imputabilité devient un outil de contrôle de gestion.

L'imputabilité objective

Dans l'exercice de l'imputabilité objective, on retrouve quatre éléments principaux :

1. La définition des mandats avec des objectifs et des priorités établis clairement.
2. Une délégation de juridiction et la fourniture de moyens appropriés pour réaliser ces mandats.

3. Un système de mesure et d'appréciation du rendement et de rétro-action (pour renseigner les gestionnaires et les subordonnés sur les progrès accomplis en vue d'atteindre les résultats escomptés).

4. Un système de sanctions et de récompenses, la principale étant intrinsèque, c'est-à-dire l'augmentation du sens de la responsabilité. Un régime d'imputabilité devrait être tel qu'il encourage le succès et la réussite afin de soutenir la motivation de l'individu à bien accomplir son travail.

Les principales difficultés d'implantation d'un régime d'imputabilité objective pourraient être les suivantes :

- L'ambiguïté des objectifs. Cela met en relief la nécessité d'avoir des mandats clairs, précis et définis pour pouvoir rendre l'employé imputable.

- L'ambiguïté des rôles des dirigeants de la commission scolaire. Par exemple, on peut se demander si le rôle des commissaires empiète sur celui de la direction générale. Ou encore, si celui des administrateurs des services est précisé par rapport à celui des directeurs d'école.

- L'absence de délégation d'autorité La délégation constitue l'axe central de la notion d'imputabilité. Elle permet de détenir une autorité conforme au niveau où la responsabilité est déléguée de sorte que le personnel peut effectuer son travail sans avoir constamment à jeter un coup d'œil en arrière ou à le faire vérifier par le supérieur immédiat.

- La méfiance du conseil des commissaires envers les cadres et celle des cadres supérieurs envers la compétence du personnel.

L'imputabilité subjective

L'imputabilité subjective signifie que chacun des intervenants du milieu scolaire se considère responsable de la qualité de son travail et de son engagement dans la recherche de solutions aux problèmes qui surgissent. Elle concerne autant la direction de l'école que les enseignants, le personnel de soutien que celui de l'entretien.

Un cadre scolaire peut ressentir des obligations à l'égard de son personnel et de ses clients (élèves, parents). Comme ces derniers ne lui confient aucune autorité, il n'est pas imputable objectivement envers eux. On peut, dans ce cas-ci, parler d'un lien indirect d'imputabilité ou d'imputabilité subjective. La figure 10.1 présente des distinctions entre l'imputabilité objective et l'imputabilité subjective.

Figure 10.1

CARACTÉRISTIQUES DE L'IMPUTABILITÉ OBJECTIVE ET DE L'IMPUTABILITÉ SUBJECTIVE

	Imputabilité objective	*Imputabilité subjective*
Objet	Fait référence au cadre institutionnel et légal.	Fait référence au système de valeurs.
Obligation	Envers un autre.	Envers soi-même.
Nature	Hiérarchique – relation d'autorité directe fondée sur la loi ou une disposition constitutionnelle. Ne résulte pas d'une décision personnelle mais découle de la décison des autres.	Morale, personnelle et affective – sensibilité aux influences dont le gestionnaire doit tenir compte dans la prise de décision.
Source	À l'extérieur de soi (lois, règles, normes, directives).	Fondée sur l'intégrité personnelle, l'honnêteté, la sincérité.
Mécanisme d'application	Délégation et reddition de comptes au supérieur hiérarchique – contrôle formel.	Socialisation des individus – contrôle informel.
Avantages	Régularité et prévisibilité des comportements – planification et cohérence.	Souplesse et flexibilité – adaptation aux circonstances particulières, – sensibilité à l'égard des clientèles.
Désavantages	Rigidité et légalisme excessifs – manque d'adaptation.	Incapacité de prévoir les comportements – danger de clientélisme, – incohérence.

Source : Patry, M. (1992). « L'imputabilité des administrateurs publics », dans PARENTEAU, R. (dir.), *Management public. Comprendre et gérer les institutions de l'État,* Ste-Foy, Presses de l'Université du Québec.

SYSTÈMES D'IMPUTABILITÉ

Selon Romzek et Dubnick (1987), l'imputabilité est un processus qui peut revêtir des formes variées. Comme plusieurs systèmes d'imputabilité peuvent coexister dans une organisation, le succès ou l'échec de l'imputabilité dépendra moins de la qualité d'un système en soi que de l'adéquation entre les divers systèmes et les caractéristiques de l'organisation. Pour établir leur modèle, Romzek et Dubnick conçoivent l'imputabilité dans le secteur public comme l'ensemble des moyens que se donnent les cadres pour gérer les attentes qui proviennent de l'intérieur comme de l'extérieur de l'organisation. Vue comme une stratégie de gestion des attentes, l'imputabilité peut prendre une variété de formes selon :

– que la définition et le contrôle de ces attentes sont du ressort d'une entité interne ou externe à l'organisation ;
– que le degré de contrôle sur les activités de l'organisation accordé à cette entité est élevé ou faible.

La combinaison de ces deux facteurs lui permet de tirer une matrice des quatre grands systèmes d'imputabilité illustrés à la figure 10.2. Ces types d'imputabilité ont été repris, dans le domaine de l'éducation, par Darling-Hammond (1988) qui en ajoute un cinquième, « l'imputabilité de marché » (*market accountability*). Celle-ci peut-être considérée comme une extension de l'imputabilité politique.

Figure 10.2
TYPES D'IMPUTABILITÉ

Degré de contrôle	Source de contrôle	
	INTERNE	EXTERNE
ÉLEVÉ	bureaucratique	légal
FAIBLE	professionnel	politique

Source : Romzek, B.S. et M.J. Dubnick (1987). « Accountability in the Pubic Sector : Lessons from the Challenger Tragedy », *Public Administration Review*, May/June : 229.

L'mputabilité bureaucratique

Les attentes des administrateurs sont gérées en fonction des priorités du sommet hiérarchique où le contrôle est intense sur toutes les activités de l'organisation. Les deux ingrédients principaux sont issus de la relation légitime entre le supérieur et son subordonné, où les ordres ne sont pas discutés et où une étroite supervision s'effectue selon des règles et des procédures clairement établies. Les politiques sont conçues par les instances supérieures, puis transmises aux directions qui les traduisent en procédures à l'intention des enseignants qui, par la suite, les appliquent dans leur enseignement.

Ce système d'imputabilité ne crée pas une obligation chez les enseignants à l'égard des besoins personnels de leurs élèves ; ils sont uniquement imputables de l'application des procédures standardisées qui ont été établies.

L'imputabilité légale

Cette imputabilité est fondée sur la relation entre une personne qui exerce un contrôle tout en étant située à l'extérieur de l'organisation et les membres de cette organisation. Par exemple, au début de chaque année financière, la commission scolaire nomme un vérificateur externe qui produit un rapport de vérification sur ses opérations financières. Le ministre peut préciser le mandat applicable à l'ensemble des vérificateurs des commissions scolaires (Loi 107, art. 284).

L'imputabilité professionnelle

Elle est principalement reliée à la complexité des problèmes et aux aspects techniques par le fait que le contrôle des activités appartient à ceux qui possèdent l'expertise pour l'exercer. Il s'agit ici d'une imputabilité latérale (entre pairs) ou d'une imputabilité interne (à l'égard des valeurs organisationnelles, par exemple, une équipe). L'imputabilité relative aux écoles s'accompagne de certaines balises fournies par les services de la commission scolaire et qui prennent la forme d'orientations.

Ce type d'imputabilité signifie que les enseignants, par exemple, se doivent d'être compétents et dévoués dans leur enseignement. Conséquemment, en implantant un système d'imputabilité professionnelle, on doit porter une attention particulière non seulement aux progrès des élèves mais aussi aux aspects professionnels du travail des enseignants.

L'imputabilité politique

Elle est au cœur de la société démocratique, car, selon elle, l'organisation est responsable d'apporter des réponses aux attentes de l'ensemble des individus et des groupes de la société concernés par ses activités. Les gouvernements ont des visées en ce qui a trait à l'éducation des jeunes pour les préparer à leur rôle de futurs citoyens. C'est ainsi que le ministère de l'Éducation émet des politiques et des règlements. Il veille au respect des dispositions réglementaires et vérifie si les programmes d'études sont appropriés, si les enseignants possèdent les qualifications requises, etc.

Plus près de l'école, la commission scolaire veut savoir si les élèves atteignent un niveau d'exigences prédéterminées, si les curriculums implantés dans une école sont en lien avec son projet éducatif, etc. Les écoles ont donc l'obligation de rendre des comptes aux instances politiques qui assurent un pilotage administratif du système scolaire.

Darling-Hammond (1988) fait une distinction entre l'imputabilité politique et l'imputabilité de marché. Pour cette auteure, en vertu de l'imputabilité de marché, l'institution scolaire doit offrir à sa clientèle une école de qualité qui répond à ses besoins. Elle mentionne le cas des « écoles à charte » où ce sont les parents qui choisissent l'école de leurs enfants.

Aucun de ces types de système d'imputabilité n'est complet par lui-même pour assurer que tous les élèves reçoivent l'enseignement auquel ils ont droit. Chacune de ces formes d'imputabilité comporte des forces et des faiblesses. La présence d'une combinaison de ces éléments est donc nécessaire pour que l'on puisse qualifier une école de responsable. Dans le cadre d'une réorganisation scolaire où la gestion de l'école tient compte de l'équipe-école, la source du contrôle est interne et le degré de contrôle par le système est plus faible ; on mise davantage sur une imputabilité professionnelle.

Newman et King (1997), pour leur part, établissent une différence entre l'imputabilité externe et l'imputabilité interne. Cette dernière se rapproche de l'imputabilité professionnelle tandis que l'imputabilité externe se rapporte davantage aux autres types d'imputabilité (bureaucratique, légale, politique). Les résultats de leur étude indiquent que les écoles où la mission est clairement définie, où le professionnalisme et le partenariat caractérisent l'implication de l'équipe-école, comportent une forte imputabilité interne. Dans celles où l'on ne rencontre pas ces caractéristiques et qui sont influencées par les exigences des autorités politiques et légales, on retrouve habituellement une organisation de type plutôt bureaucratique.

Darling-Hammon et Ascher (1991) soutiennent que les systèmes d'imputabilité doivent de plus en plus se modeler sur l'imputabilité professionnelle. Selon elles, cette forme d'imputabilité est plus adaptée à la gestion de l'école par une équipe-école qui doit de plus en plus prendre des décisions pédagogiques responsabilisantes.

IMPORTANCE DE L'IMPUTABILITÉ

Qui rend compte au public de ce qui se passe dans les écoles ? Voilà une première question que soulève la notion d'imputabilité. On pourrait aussi parler de responsabilité : qui est responsable du rendement dans les écoles ? Comment savoir ce que l'on est en droit d'attendre des écoles ? Comment déterminer si les écoles répondent aux attentes ? Qui sont imputables – qui sont responsables – si les réponses obtenues ne sont pas satisfaisantes ?

Même si l'on gère des entreprises à but non lucratif, des entreprises du secteur public, les clientèles s'attendent à des résultats, à une certaine performance. Ces attentes proviennent tout d'abord des parents qui sont intéressés, inquiets, et qui souvent ne comprennent pas grand-chose aux méthodes, aux manuels et aux bulletins. Elles proviennent également de la population, qui paie des taxes élevées pour financer l'éducation, et du gouvernement, toujours sensible aux critiques. Ce sont aussi les collèges, les universités et les milieux de travail qui ne sont jamais satisfaits des candidats que leur prépare l'école.

Comment se mesurent les résultats, la satisfaction des clients ? Surtout par des indices reliés à la mission elle-même : Y a-t-il plus d'élèves « en difficulté d'apprentissage » ? Plus de « décrocheurs » ? Plus de jeunes dans les établissements privés, alors que le personnel enseignant et les équipements sont d'aussi bonne qualité dans les établissements publics ?

La forme d'imputabilité la plus importante n'est pas nécessairement l'imputabilité objective. Pourquoi ne serait-ce pas l'imputabilité subjective, c'est-à-dire celle de l'enseignant envers les parents et de l'école envers la collectivité ? Pour les parents, il est incroyablement difficile de se renseigner sur le programme d'études et sur le rendement de leur enfant à l'école. La préoccupation ultime des parents et des élèves est évidemment l'apprentissage individuel. Mais tant sur le plan individuel que collectif, il ne faut pas oublier que l'imputabilité n'est pas une fin en soi : sa fonction est d'assurer que l'information sert vraiment à améliorer le rendement des écoles. En d'autres mots « imputabilité » et « transformation » doivent toujours être étroitement liées.

Dans le système scolaire, il est donc important de donner au public, aux contribuables et aux parents accès à l'information dont ils ont besoin pour qu'ils puissent doser leurs attentes, évaluer en toute connaissance de cause l'efficacité du système et savoir à qui s'adresser en cas d'insatisfaction. D'ailleurs, la *Loi sur l'instruction publique* prévoit un mécanisme de révision de toute décision qui pourrait insatisfaire un élève ou ses parents :

> *L'élève visé par une décision du conseil des commissaires, du comité exécutif ou du titulaire d'une fonction ou d'un emploi relevant de la comission scolaire ou les parents de cet élève peuvent demander au conseil des commissaires de réviser cette décision.* (Loi 107, article 9.)

IMPUTABILITÉ ET GESTION CENTRÉE SUR L'ÉCOLE

La gestion centrée sur l'école est une stratégie qui vise l'amélioration de l'apprentissage des élèves. Elle fait appel à l'expertise pédagogique des enseignants et à un transfert de la prise de décision vers l'école. Ce mode de gestion, qui requiert une plus grande responsabilisation des enseignants, des parents et même des communautés locales, présente de nombreux avantages :

– il reconnaît la compétence du personnel de l'école pour adapter ses services aux besoins et aux caractéristiques de sa population et pour prendre des décisions qui pourront améliorer l'apprentissage des élèves ;

– il fait en sorte que les décisions locales soient prises par ceux qui connaissent le mieux l'école et ses élèves ;

– il met en évidence le rôle des enseignants dans le développement du curriculum, c'est-à-dire les éléments qui définissent le contenu de la formation des élèves : méthodes pédagogiques, manuels scolaires, modalités d'évaluation des apprentissages, règles de classement des élèves et du passage d'une année à l'autre, etc.

– il favorise l'instauration, à l'école, d'une culture de la formation continue pour que les membres de l'équipe puissent agir sur le développement de leur compétence ;

– il reconnaît l'importance du conseil d'établissement pour consolider l'autonomie de l'école et renforcer ses liens avec la communauté.

Les pouvoirs accrus qui sont conférés à l'école dans un mode de gestion par la base sont assortis d'obligations, entre autres, en matière d'imputabilité tant objective que subjective.

Dans la nouvelle structure, selon la ministre de l'Éducation, « le conseil d'établissement doit traduire à la fois l'autonomie plus grande de l'école et le renforcement de ses liens avec la communauté ». Il sera redevable envers la commission scolaire et la communauté locale (imputablité objective) et également envers les parents et les élèves (imputabilité subjective). Dans le cadre de cette redevabilité, il devra procéder périodiquement à l'évaluation institutionnelle et produire un rapport d'activités annuel dans le but de rendre compte à la communauté des services offerts et des résultats obtenus (Marois, 1996).

Selon le virage proposé (*Ibid.*), la direction de l'école sera directement imputable envers son conseil d'établissement de la qualité des services éducatifs, du bon fonctionnement de l'établissement et de l'application des dispositions qui le régissent. Dans un système décentralisé, elle est aussi imputable envers l'équipe-école (imputabilité subjective) avec laquelle elle partage la gestion de son établissement. La figure 10.3 illustre les liens d'imputabilité objective et subjective entre les diverses instances dans le système préconisé par la réforme de l'éducation.

CONDITIONS POUR ÉTABLIR L'IMPUTABILITÉ

Le développement d'une organisation imputable exige la satisfaction de certaines conditions.

UNE VISION CLAIRE ET PARTAGÉE, DES VALEURS PRÉCISÉES ET UNE MISSION DÉFINIE

Une commission scolaire imputable doit reposer sur une vision qui lui permette de se donner une image réaliste, crédible et attirante de ce qu'elle voudrait être idéalement si elle se projetait dans le futur. Cette vision doit rallier le personnel au sein d'équipes mobilisées qui ont le sentiment d'avoir un certain contrôle sur ce qu'elles font et sur le cours des événements.

Une organisation scolaire ne peut se laisser guider au gré des vents et des décisions quotidiennes ; elle doit affirmer ses valeurs afin d'assurer

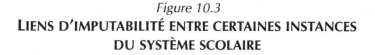

Figure 10.3
LIENS D'IMPUTABILITÉ ENTRE CERTAINES INSTANCES DU SYSTÈME SCOLAIRE

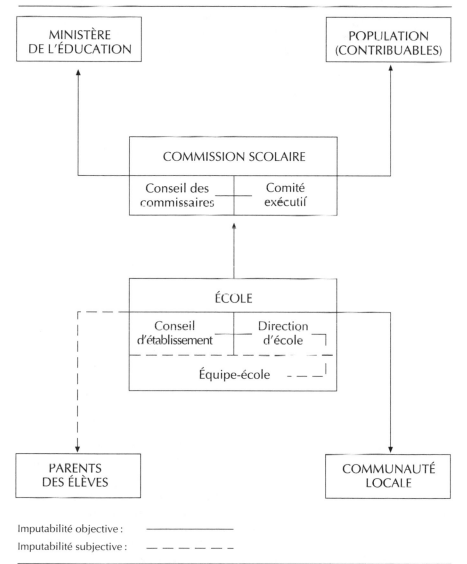

la cohérence de ses activités éducatives. Une valeur est une conviction profonde qui guide les actions ; c'est un idéal d'action qui devient une référence fondamentale pour les membres d'une organisation. C'est un critère du désirable qui permet de porter un jugement sur l'importance de ses comportements. Elle aide à agir conformément à sa mission, sur le chemin qui mène à la vision.

La mission, quant à elle, vient préciser la vision. On doit indiquer les résultats désirés et le processus pour les atteindre de façon claire, succincte et enthousiasmante. À l'instar de la commission scolaire, chaque unité administrative devrait définir sa mission.

Enfin, la réussite de chaque élève devrait être un leitmotiv que l'on retrouve dans l'énoncé de la mission d'une commission scolaire. Désormais, l'organisation doit se centrer sur ses clients plutôt que sur son propre fonctionnement.

DES ENCADREMENTS SOUPLES ET SIGNIFIANTS

Une commission scolaire, tout comme une école, n'est pas une organisation mécaniste. Elle est majoritairement composée de professionnels, notamment des enseignants, dont les actions ne doivent pas être encadrées de façon rigide. Elles reposent sur la compétence et l'autonomie professionnelle de chacun d'eux. Dans un tel cadre, le mode de fonctionnnement doit se fonder, moins sur des directives et des guides que sur une mobilisation de tous les acteurs en vue d'atteindre les résultats. Il leur laisse le choix des moyens et des méthodes tout en comportant l'obligation de rendre compte. Les encadrements doivent donc être souples et signifiants. Ils précisent le sens et la direction de l'action, clarifient les consignes et rendent les arbitrages faciles et équitables. Il est important de reconnaître les responsabilités complémentaires des directions de service et des directions d'école dans ces encadrements.

Dans les débats qui ont cours, on assiste parfois à des luttes de pouvoir entre les gestionnaires des services et des écoles. Les uns craignent de perdre des pouvoirs au détriment de l'école, les autres craignent d'assumer de nouvelles responsabilités administratives qui les détournent de leur mission première : l'administration de l'enseignement. Il importe de dépasser ce stade pour reconnaître la complémentarité des responsabilités à assumer : les écoles sont responsables de la dispensation des services éducatifs dans chaque établissement ainsi que de la gestion des ressources qui s'y rattachent ; les services ont la charge de concevoir les grands encadrements, d'en contrôler l'application dans les écoles et de gérer des systèmes administratifs qui rendent service à l'ensemble des unités et qu'il n'est pas efficient de décentraliser. Viser l'équilibre en assumant ces responsabilités partagées, c'est favoriser l'émergence d'une stratégie mixte qui permet aux directions d'école de bénéficier de beaucoup de latitude dans l'organisation de leur école et au centre administratif d'offrir, de façon centrale, un meilleur service aux clients de l'ensemble de la commission scolaire.

LA VALORISATION DU PROFESSIONNALISME ET DE L'AUTONOMIE DES RESSOURCES

Dans un modèle de gestion renouvelée, la confiance, la responsabilisation, l'imputabilité priment sur le soutien, l'accompagnement et le contrôle des détails. Cela est aussi vrai pour l'enseignant. La conception qu'il a de l'imputabilité est étroitement liée à sa façon de percevoir son rôle. Cela se reflète également dans la manière dont il organise sa classe et perçoit ses étudiants. Le modèle interne d'imputabilité de chacun des enseignants fait partie de sa personnalité et se reflète dans sa façon de penser et d'agir. Les enseignants savent qu'ils sont responsables des progrès des élèves, mais ils n'ont pas tous les mêmes balises. Cela doit être considéré avant d'implanter la notion d'imputabilité dans les écoles.

On parle de plus en plus d'autonomie pédagogique, de responsabilisation et de professionnalisation de l'enseignant comme préalable à l'imputabilité. On ne peut responsabiliser un enseignant et l'amener à être imputable de son enseignement si on ne le laisse pas être maître de son enseignement. C'est là une caractéristique propre à un professionnel. On cherche donc à promouvoir le satut de professionnel chez l'enseignant en lui accordant plus de latitude dans le choix des moyens et des méthodes d'enseignement. Par sa formation, il est habilité à prendre de telles décisions. Il aura néanmoins à rendre des comptes sur les résultats de son enseignement. Pour pouvoir exiger des comptes des enseignants, il faut d'abord établir des priorités et mettre en place un système d'évaluation pédagogique pour vérifier l'atteinte des résultats reliés à ces priorités.

Un professionnel se considère responsable de la direction prise par son unité administrative. Pour ce faire, on doit l'inviter à participer aux prises de décision, en favorisant un professionnalisme collectif. Il est plus facile d'encourager une responsabilité collective et de créer un esprit d'équipe imputable que d'essayer de changer chaque individu. En favorisant la concertation avec les collègues et les échanges professionnels, on jette les bases d'une école plus imputable.

UNE DÉCENTRALISATION QUI RAPPROCHE DU LIEU DE L'ACTION

Décentraliser, c'est situer le pouvoir décisionnel et les ressources là où se trouvent l'information et l'expertise, là où se situe l'action, là où se vit effectivement la mission. Si l'on recentre toute l'activité sur les jeunes, sur leur éducation, on inverse le mouvement décisionnel, on le recentre vers les écoles, vers les classes... Il faut rapprocher le pouvoir décisionnel et les ressources qui s'y rattachent le plus possible des jeunes à éduquer et ce, en vue de leur éducation. Dans un tel contexte, les contrôles et les évaluations touchent d'abord les résultats et non les moyens. La décision se prend le plus près possible de l'action. Les processus, les méthodes, les moyens, les ressources sont décentralisés à l'école et dans la classe.

UNE ÉVALUATION SYSTÉMATIQUE DES RÉSULTATS

Il y a un prix à payer pour la décentralisation et des conséquences à accepter quand on relève le défi de la décentralisation. Ceux vers qui se déplacent le pouvoir décisionnel, la prise d'initiative et les ressources s'en rendent responsables.

La base dans nos organisations scolaires a été soustraite jusqu'à maintenant à ces conséquences parce que la décentralisation y est en général celle de l'exécution. Les objectifs, les moyens, les procédures, entre autres, sont tellement déterminés qu'il suffit de les suivre à la lettre pour être libéré de toute responsabilité. Mais dans un régime où l'adaptation, la créativité et l'initiative sont valorisées, chaque éducateur et son groupe de jeunes, chaque école (la direction et tout le personnel collectivement) seront responsables d'évaluer les résultats. Toutefois, l'analyse de l'efficacité des services et de leurs résultats exige une rigueur qui ne peut être assurée par la seule mesure quantitative du produit ou par des types d'évaluation approximative.

La réorganisation scolaire exige que l'on affine ses méthodes d'analyse et d'évaluation des besoins et des résultats, aussi bien dans les centres administratifs qu'au sein des établissements. Le recours systématique à des outils d'analyse et d'évaluation institutionnelles doit être envisagé à chaque palier de la structure. On doit s'attacher à une utilisation des données existantes sur les effectifs (leurs besoins, leurs caractéristiques) et sur les services (leurs coûts). On doit aussi souscrire à l'utilisation de grilles d'analyse et d'évaluation plus subtiles pour juger de la qualité et de l'efficacité des services. Dans le domaine scolaire, plusieurs outils ont été produits à cette fin depuis le début des années 1980. Toutefois, il faut user de prudence dans l'utilisation de ces instruments. Le respect des milieux et de l'évolution des pratiques nous impose de tenir compte des traditions et des habitudes culturelles. Il faut éviter les « transplantations artificielles » qui risquent de provoquer des rejets car incompatibles avec le contexte.

Un corollaire important de l'évaluation, c'est le droit à l'erreur. Une erreur est un événement dont nous n'avons pas encore tiré le plein bénéfice. Si l'on fait des erreurs, c'est parce qu'on est capable de prendre des risques. Les gens qui ne ratent rien sont généralement des gens qui ne tentent rien. On s'attend à une évaluation franche, à une utilisation intelligente de l'échec pour se rapprocher de l'objectif et, surtout, on exige le courage de recommencer.

LES NIVEAUX D'IMPUTABILITÉ

LE MINISTÈRE DE L'ÉDUCATION

L'Assemblée nationale vote des lois et en confie l'exécution au gouvernement qui délègue les responsabilités de gestion aux différents ministères. C'est ainsi que le ministère de l'Éducation, à son tour, transmet aux commissions scolaires des responsabilités dans le cadre de l'application de la *Loi sur l'instruction publique* et ses règlements. À chaque niveau de cette chaîne correspondent des obligations, pour les différentes instances, d'obtenir de l'information pouvant assurer que les responsabilités déléguées ont été bien assumées : c'est la reddition de comptes internes.

Le ministère établit les orientations générales du système éducatif (régimes pédagogiques, approbation des programmes, etc.). Il prend les décisions sur l'allocation des ressources et il exerce un pouvoir de contrôle et d'évaluation. Il doit donc juger de la valeur des programmes d'études et vérifier si l'on enseigne réellement les programmes d'études officiels dans les écoles et si les connaissances sont assimilées. À cette fin, il a choisi un système d'indicateurs pour recueillir des données. Il utilise des indicateurs de résultats tels que le taux de diplômes obtenus, l'accessibilité aux études supérieures ou l'entrée sur le marché du travail.

De plus, il se sert d'indicateurs d'apprentissage en se basant sur les résultats des examens ministériels ou des concours internationaux. Par la suite, il a développé des indicateurs de processus : le décrochage, le retard scolaire, la réussite en quatrième et cinquième secondaire. Par ces indicateurs, il cherche à établir les tendances. Il effectue des calculs en tenant compte des régions, des sexes et de la langue d'enseignement. Il va sans dire qu'un indicateur n'est pas suffisant et qu'il doit être considéré parmi un ensemble d'indicateurs.

Les résultats de ces données sonnent l'alarme et permettent de réagir dans un délai raisonnable. Les indicateurs du décrochage scolaire (près de 45 %), du taux de réussite aux examens d'admission au collège ou à l'université ont peut-être joué un rôle dans la mise sur pied des États généraux de l'éducation. Il s'agit là d'une forme d'imputablilité où le milieu doit faire état de la situation et essayer de trouver des solutions aux problèmes relevés par les indicateurs. Le ministère peut également compter sur le Conseil supérieur de l'éducation qui joue un rôle important dans l'évaluation et l'imputabilité du système scolaire québécois en commentant dans ses rapports annuels des aspects spécifiques et généraux du système. Ces rapports font état des nouvelles directions à privilégier en éducation. On pourrait comparer les indicateurs utilisés par le ministère de l'Éducation du Québec avec ceux utilisés dans les autres provinces canadiennes. La *Revue canadienne de l'éducation* (1995) a consacré un numéro complet à ce sujet.

LA COMMISSION SCOLAIRE

Les commissaires

Le conseil des commissaires doit assurer l'application de la *Loi sur l'instruction publique*. La Loi lui confie des pouvoirs de planification, de contrôle et d'évaluation. Il délègue plusieurs de ses pouvoirs à la direction générale et aux administrateurs, mais il doit vérifier si les responsabilités déléguées sont effectivement assumées. C'est la reddition de comptes interne qui lui permet de le faire. Il revient en outre au conseil de déterminer les sujets sur lesquels il devrait y avoir une reddition de comptes et sur la forme qu'elle devrait prendre.

En matière de contrôle, le conseil des commissaires a la responsabilité de s'assurer que les établissements se conforment aux lois, aux règlements et aux politiques du gouvernement. Il doit donc s'assurer que les écoles appliquent le régime pédagogique, les programmes d'études et évaluent les apprentissages de leurs élèves.

Le conseil des commissaires doit rendre des comptes au ministre (imputabilité externe). En vertu de la loi, il doit produire un rapport annuel des activités de la commission scolaire, rendre compte de la qualité des services et de l'utilisation des ressources qui lui ont été allouées. Il doit transmettre au ministre le rapport annuel, les états financiers et le rapport du vérificateur externe. Le conseil des commissaires est également tenu d'informer la population du territoire qu'il dessert de la qualité des service éducatifs offerts, de l'administration de ses établissements et de l'utilisation des ressources qui lui ont été confiées. Sur le plan local, les commissaires ont des comptes à rendre à l'électorat tous les quatre ans, même si, dans la réalité, les médias accordent très peu d'attention aux activités des commissaires en période électorale. L'imputabilité politique exige des décideurs des paliers, tant local que provincial, qu'ils répondent de la pertinence de leurs politiques et, dans une certaine mesure, des effets qu'elles produisent.

Les fonctions propres aux commissaires concernent la planification stratégique et l'évaluation. Le conseil des commissaires n'est pas directement concerné par la direction et l'organisation, celles-ci relevant des personnels de la commission scolaire. Les commissaires doivent davantage se préoccuper du pourquoi en précisant la mission et les résultats attendus. Trop souvent, ils s'attardent à discuter du comment qui relève en fait des autres paliers de responsabilité. La mise en place d'une organisation imputable exige donc que chacun ne prenne en charge que les responsabilités qui lui sont attribuées.

Les administrateurs

Sur le plan de l'administration et de la gestion, la direction générale et les administrateurs (cadres de service) ont à rendre compte de la mise en application des politiques, de la surveillance de ce processus et des répercussions qu'il a. Dans l'exercice de leur rôle, ils deviennent principalement des « motivateurs » et des « inspirateurs ». Il leur revient d'accompagner le mouvement de décentralisation et d'imputabilité vers les écoles de certaines balises qui inspirent le personnel en les orientant. Cette unité de direction, qui donne un sens à l'action de tous, est essentielle.

LES ÉCOLES

La « nouvelle » école proposée par le ministère de l'Éducation est un organisme détaché de la commission scolaire, placé sous l'autorité d'un conseil d'établissement et de la direction de l'école. Elle jouit d'une autonomie qui lui permet d'adapter ses services aux besoins et aux caractéristiques de ses élèves.

La responsabilité éducative

La première responsabilité des administrateurs scolaires et de l'école est la responsabilité éducative. Dans le futur plus que dans le passé, l'école sera tenue responsable de résultats mesurables. L'appel à la responsabilisation touche de plus en plus l'école publique : un grand mouvement se dessine dans le sens de la responsabilisation des résultats. Il y a peu d'indication que le pendule retourne dans l'autre direction. Cette « nouvelle vérité » à laquelle les écoles doivent répondre peut se résumer par l'interrogation suivante : est-ce que nos étudiants apprennent ce qu'on est censé leur enseigner par rapport aux programmes ? Il s'agit là d'une question à laquelle l'école devra répondre.

Le fait de tenir les directions d'école et les éducateurs responsables des résultats est un facteur clé de succès. C'est une occasion de provoquer des changements positifs dans les performances professionnelles qui se refléteront sur les résultats scolaires et sur l'amélioration des attitudes des élèves.

Ce mouvement, axé sur la restructuration des écoles, repose sur la croyance que si l'école est vraiment tenue responsable de ses résultats, elle doit alors avoir la flexibilité de développer son propre programme. L'école doit identifier un ensemble de buts, définir clairement ses objectifs et indiquer comment elle entend les atteindre. Ce n'est que dans un tel contexte que peut se développer l'imputabilité de l'école.

Le conseil d'établissement

Le conseil d'établissement, en plus de ses pouvoirs généraux, possède des pouvoirs reliés aux services éducatifs, aux ressources humaines, matérielles et financières. Le conseil d'établissement a, en outre, des pouvoirs reliés aux services à la communauté et une responsabilité d'évaluation. Parmi les pouvoirs généraux, à titre d'exemples, il lui revient de déterminer les orientations et le plan d'action de l'école et de voir à leur réalisation et à leur évaluation. Il peut conclure des ententes avec d'autres établissements d'enseignement ou organismes du milieu. Au regard des services éducatifs, il peut notamment exercer des choix pédagogiques sur l'adaptation des programmes d'études, l'élaboration de programmes locaux, le projet-école, la répartition du temps accordé à chaque matière et la politique d'encadrement de l'école.

Le conseil d'établissement prend des décisions en se basant sur les propositions préparées par la direction de l'école, avec la participation des enseignants et du personnel de l'école. Il doit se doter d'un processus lui permettant d'avoir une information constante du niveau d'efficacité et d'efficience de son organisation. Il établit un système d'évaluation continue qui se traduit par une démarche d'évaluation institutionnelle lui permettant une saisie systématique des divers facteurs de la vie de l'école et une évaluation par ses membres de son fonctionnement tant administratif que pédagogique.

Le conseil d'établissement est imputable objectivement envers la commission scolaire de la conformité de sa gestion aux lois, aux règlements et aux politiques gouvernementales. Il doit lui rendre compte de l'application du régime pédagogique, des programmes d'études et de l'évaluation de l'apprentissage des élèves. Il doit transmettre son rapport annuel à la commission scolaire, informer le communauté des services offerts par l'école et rendre compte de leur qualité.

Les directions d'établissement

Les directions d'école sont les agents de premières lignes dans les écoles. Elles sont responsables et imputables des résultats de leur institution. Si elles sont responsables des extrants, elles doivent avoir un contrôle sur les intrants. C'est pourquoi les directions d'école ont besoin d'une marge de manœuvre sur le plan des ressources humaines, financières et matérielles.

La direction de l'école prend des décisions reliées plus directement à la fonction pédagogique sur les recommandations des enseignants qui déterminent, eux-mêmes, les modalités de leur participation. Il n'est pas nécessaire que les écoles soient uniformes.

Le canal de communication entre les directions d'école et les directions de service doit être clair. Les principales consignes doivent avoir été expliquées à une table de concertation avant d'être dirigées vers les

écoles. Les directives doivent parvenir à l'école par le supérieur immédiat, la direction générale. Une organisation imputable et décentralisée
repose sur la confiance, l'existence d'une marge de manœuvre et
s'appuie sur des moyens conséquents. La décentralisation ne peut être
viable si elle s'arrête à la direction des écoles. Les membres de l'équipe-
école doivent participer aux décisions à prendre. Il est important de
déplacer la prise de décision et la responsabilité le plus près possible du
lieu de l'action. Plus les tâches à réaliser dans l'école sont complexes,
plus elles exigent du travail d'équipe et doivent être accomplies dans
un environnement caractérisé par la collégialité et la mobilisation du
personnel.

Les enseignants

On observe qu'à l'école le travail pédagogique de l'enseignant est dans
une large mesure privé et ne fait l'objet d'aucune validation systématique,
comme c'est le cas dans d'autres professions. Trop souvent l'enseignant,
reclus dans son propre univers (sa classe), se construit une sorte de jurisprudence privée, faite de mille et un petits trucs « qui marchent ou qu'il
croit qu'ils marchent ». Cette « jurisprudence » n'est que rarement mise
au jour pour subir le test de la validation. Pourtant, l'imputabilité doit
rejoindre l'enseignant. Il est d'abord imputable envers ses élèves. Comment
réussissent-ils ? L'enseignement qu'il leur donne est-il à la hauteur des
attentes du milieu ? Pourront-ils réussir dans leurs études ultérieures avec
les connaissances transmises ou seront-ils désavantagés par rapport aux
autres étudiants ? En analysant les progrès des élèves, nous sommes en
mesure d'évaluer en partie la performance des enseignants et de déterminer si le travail qui devait être accompli l'a effectivement été.

   L'enseignant devrait être comptable envers ses collègues des autres
niveaux. Si les objectifs du programme ne sont pas atteints, l'enseignant
de la classe supérieure sera pénalisé. S'il existe un esprit de collégialité
dans l'équipe-école, un partenariat associatif et un respect de l'imputabilité de chacun, on pourra travailler ensemble et plus efficacement à
l'atteinte des objectifs des programmes scolaires. La responsabilisation
des enseignants passe par l'évaluation. Il faut surmonter la crainte de
s'exposer au regard extérieur et se donner des instruments d'évaluation
crédibles et transparents.

   Par ailleurs, l'évaluation scolaire est avant tout la responsabilité des
enseignants, et il est important qu'ils apprennent à évaluer de leur mieux

l'apprentissage scolaire et à se servir des résultats pour améliorer leur enseignement et informer les parents de la situation scolaire des élèves. En effet, les progrès de l'élève sont l'indicateur le plus éloquent de l'efficacité de tout le système scolaire. Si les résultats de l'enseignement correspondent aux normes établies au palier local, provincial ou autre, on juge habituellement que les écoles et le système scolaire fonctionnent bien et que l'argent des contribuables est bien dépensé.

INDICATEURS D'UNE ÉCOLE IMPUTABLE

PRINCIPAUX INDICATEURS

L'école doit rendre compte de la qualité de ses interventions même si cela est beaucoup plus facile à exiger qu'à faire. Pour qu'elle puisse remplir le mieux possible ses obligations à cet égard, sa mission, ses buts et ses objectifs doivent être clarifiés. Il lui faut recueillir périodiquement et systématiquement certaines informations et les présenter sous une forme qui permette au public de tirer ses propres conclusions sur son efficacité fonctionnelle. Ces indicateurs peuvent être des données quantitatives ayant trait à la maîtrise des habiletés selon des critères prédéterminés.

Les résultats scolaires de l'élève sont le principal indicateur de la qualité de l'école, cependant, ils ne sont pas le seul élément dont l'école doive rendre compte au public. En effet, il existe d'autres indicateurs de la qualité et du succès de l'enseignement, notamment la proportion d'élèves qui poursuivent des études collégiales ou universitaires, ou qui s'intègrent au marché du travail ; le taux de décrochage (pourcentage d'élèves qui abandonnent l'école avant l'obtention de leur diplôme) ; le taux d'assiduité, y compris celui du personnel enseignant ; le rythme de progression des élèves dans le système scolaire.

Un type différent d'indicateur, important du reste, concerne le mode d'évaluation du rendement du personnel enseignant et du personnel de direction, de même que l'utilisation des résultats de cette appréciation pour améliorer le niveau de réussite individuelle et celui du système dans son ensemble. D'autres indicateurs, sans lien (sinon indirect) avec l'apprentissage, ne sont pas moins révélateurs de la qualité de la gestion d'une école ; ce sont, entre autres, le rapport coût-efficacité, l'équité des pratiques d'embauche et l'adoption de normes de sécurité acceptables pour le personnel et les élèves. Enfin, nous croyons que le degré de satisfaction exprimé par les élèves et les parents – et, dans une certaine mesure par la collectivité – est un autre indicateur utile. Dans quelle mesure ces groupes sentent-ils que l'on est à l'écoute de leurs préoccupations, que l'on accueille leurs idées et que l'on répond à leurs besoins ? L'école qui prend périodiquement le pouls de l'opinion des élèves, des parents et du public, est plus sensible aux problèmes potentiels qu'elle devra régler.

EXEMPLES D'INDICATEURS

La meilleure façon d'assurer l'obligation de rendre compte de l'école, c'est de s'interroger publiquement sur son fonctionnement. Les questions suivantes peuvent aider à établir des indicateurs.

- Quelles normes devrait-on fixer pour l'ensemble des élèves, comment devrait-on s'y prendre et qui peut s'en charger ?
- Comment devrait-on évaluer le rendement des élèves ?
- Comment devrait-on rendre compte des progrès des élèves ?
- Comment devrait-on évaluer l'école et ses programmes ?
- À qui devrait-on rendre compte des progrès et dans quel but ?
- Qui devrait assumer la responsabilité des résultats obtenus ?
- Quels devraient être les rôles et responsabilités de chacun des partenaires ?
- Quels mécanismes devrait-on instaurer pour permettre de vérifier que les rôles et responsabilités de chacun sont bel et bien respectés et assumés ?

Voici quelques exemples d'indicateurs d'une école exemplaire :
- la réussite de l'ensemble des élèves dépasse le 50ᵉ rang centile aux examens provinciaux ;
- un maximum de 5 % de suspension ou d'expulsion d'élèves de l'école ;
- un minimum de 90 % de présence des élèves en classe ;
- un maximum de 10 % de décrochage ;
- un minimum de 75 % de diplômés à la fin du secondaire ;
- un minimum de 60 % d'élèves inscrits au cégep.

SYSTÈME INTÉGRÉ D'IMPUTABILITÉ

DÉFINITION

Le système intégré d'imputabilité est un instrument privilégié de communication entre deux partenaires et ce, dans les deux sens. Il propose des façons concrètes de procéder afin que la direction générale et le cadre scolaire puissent préciser et transmettre leurs attentes mutuelles, recevoir, de manière continue, les informations nécessaires pour jouer leurs rôles respectifs. Idéalement, cet échange devrait être basé sur un partenariat solide.

Le système intégré d'imputabilité doit être perçu comme un processus (plutôt qu'une activité) continu (plutôt qu'annuel) de clarifications de mandats, de corrections de moyens puis, de motivation et de soutien à l'endroit du personnel scolaire. La position stratégique de l'administrateur scolaire fait en sorte qu'il est difficile de dissocier son rendement de celui de son service ou de son établissement. Il est responsable de la mise en œuvre de la mission et des activités de la commission scolaire dans son unité de travail. Le système de reddition de comptes devient une source privilégiée de feed-back, de reconnaissance et de valorisation au travail des membres de l'unité administrative.

PROCESSUS

Cette section présente les principales composantes du système de reddition de comptes. Ce système est simple et flexible, car les formalités ont été réduites au minimum.

Le processus d'imputabilité découle directement de la planification stratégique de la commission scolaire et des orientations particulières des écoles. L'école est imputable objectivement envers la commission scolaire et son conseil d'établissement. La commission scolaire, à son tour, est imputable objectivement envers le ministère de l'Éducation. En outre, l'école est imputable subjectivement envers les parents de ses élèves. La commission scolaire est imputable subjectivement, envers les contribuables, de la qualité des services qu'elle offre. Les services de la commission scolaire ont une imputabilité objective envers la direction générale et une imputablilité subjective envers les écoles.

Le processus d'imputabilité est continu et non un événement isolé qui survient une fois l'an. De façon générale, on s'entend pour dire qu'un régime d'imputabilité devrait nécessairement comprendre les quatre grands éléments présentés à la figure 10.4.

Figure 10.4
LE PROCESSUS D'IMPUTABILITÉ

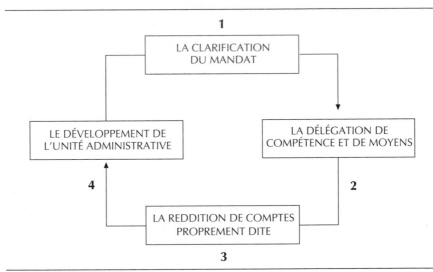

Étape 1 : La clarification du mandat

Cette étape se situe au niveau intentionnel, elle est peut-être la plus déterminante. Elle consiste à préciser à l'avance les éléments qui serviront de base à l'imputabilité. Le mandat découle de deux opérations essentielles : une première effectuée par la commission scolaire et une seconde, par l'unité administrative (l'école ou le service).

Dans le cadre de la planification stratégique de la commission scolaire (vision, mission et orientations générales), la direction de l'école ou du service doit procéder à une planification opérationnelle (préciser les objectifs, responsabilités, activités, resssources nécessaires, etc.) de ces éléments dans son unité de travail. Les orientations de cette unité de travail doivent d'abord découler des priorités de la commission scolaire. Elles favorisent l'intégration des objectifs de l'organisation et de ceux de ses composantes afin qu'ils convergent dans la même direction. La commission scolaire est également une organisation flexible qui mise sur l'autonomie professionnelle de ses membres et qui favorise la diversité dans les orientations particulières de ses écoles et de ses services.

La première étape du processus d'imputabilité consiste donc à faire en sorte que les partenaires (direction générale et direction de service ou d'école) s'assurent que les objectifs spécifiques et les orientations particulières soient formulées de façon appropriée et réaliste compte tenu de l'échéancier proposé. Les partenaires ont intérêt à s'entendre, dès le départ, sur des indicateurs qui permettront plus tard de constater le degré de réalisation des objectifs.

Même si l'imputabilité porte sur les extrants, il est tout de même indiqué d'examiner ensemble la façon dont le cadre scolaire a l'intention de s'y prendre (son plan d'action) pour atteindre ses objectifs. Il ne s'agit pas ici d'établir des plans détaillés mais plutôt de vérifier la compréhension mutuelle des activités, échéances et ressources nécessaires à la réalisation des objectifs.

Étape 2 : La délégation de compétence et de moyens

Une délégation de compétence et de moyens appropriés pour réaliser ce mandat est nécessaire étant donné qu'un individu ne saurait être réputé imputable s'il ne jouit pas de la latitude nécessaire pour atteindre les objectifs qui lui ont été assignés. Tous reconnaissent que cette attribution de pouvoirs et de ressources doit correspondre à l'importance des responsabilités assumées, même si l'on convient que l'autorité ultime dans une organisation ne saurait être déléguée.

La délégation de pouvoir constitue, sans aucun doute, la clé de voûte de tout processus d'imputabilité. Un régime d'imputabilité bien compris doit tendre à réaliser la plus large déconcentration du pouvoir possible au sein d'une organisation et à rapprocher, tant que faire se peut, les centres de décision des lieux d'exécution. La délégation de pouvoir constitue donc le mécanisme fondamental qui permet de réaliser l'adéquation entre l'autorité et la responsabilité que suppose l'application d'un régime d'imputabilité et, partant de là, d'accroître la productivité au sein de la commission scolaire.

Étape 3 : La reddition de comptes proprement dite

En cours de période, il est souhaitable de prévoir des rencontres permettant aux partenaires d'échanger sur la progression vers la réalisation du mandat, de relever les difficultés qui se posent pour essayer de les résoudre. Ces rencontres permettent de mieux suivre la progression du travail.

À la fin de l'exercice, il s'agit de faire le point sur les progrès accomplis, sur les réalisations, soit les résultats atteints, et d'analyser les écarts entre les attentes et les résultats. Cette rencontre aura lieu à la fin de l'année scolaire et sera axée sur les résultats plutôt que sur les processus. Les décisions entourant les processus, les méthodes, les moyens, les ressources seront prises dans l'instance située le plus près possible du lieu de l'action.

Étape 4 : Le développement de l'unité administrative

La rencontre de reddition de comptes donne l'occasion au cadre scolaire de faire la synthèse des points forts et de ceux qui mériteraient d'être améliorés. C'est lui qui est le principal responsable du bon fonctionnement et de l'amélioration de son école ou de son service. Il est donc important de discuter avec la direction générale des besoins et des moyens qu'elle compte prendre pour consolider les forces de son unité et combler ses lacunes. Un programme de développement (perfectionnement, projets, etc.) peut favoriser la relance des opérations.

Le but ultime d'un régime d'imputabilité n'est pas de blâmer, mais de tirer le plus d'enseignements possible de l'expérience. Il devrait être façonné de manière à encourager la réussite afin de soutenir la motivation de la personne ainsi que sa performance.

CONCLUSION

Nous avons vu que l'obligation de rendre compte est une démonstration publique de la pertinence et de la qualité des actions entreprises et des résultats atteints. C'est donc à tous les paliers de la structure scolaire qu'on doit avoir de telles préoccupations. En outre, il est important que le public soit sensible aux échos des milieux éducatifs. Les établissements scolaires ont aussi un long chemin à parcourir. Ainsi, on commence à peine à reconnaître l'importance de rendre compte de ses actions, car, force est de constater, la méfiance et la peur sont encore très présentes.

Le principal levier de l'imputabilité dans une organisation est l'établissement d'une solidarité directionnelle fondée sur l'implication active du personnel. Plus les personnes s'investissent pour prendre des décisions, plus elles se sentent concernées quand vient le temps de les mettre à exécution et d'en assumer les conséquences. Dans un tel contexte, la « reddition des comptes » ne risque pas de devenir un « règlement de comptes ».

INSTRUMENT *Dans le réseau de l'éducation, le ministère et le conseil des commissaires doivent assumer des responsabilités dans le cadre de la* Loi sur l'instruction publique. *Ils délèguent plusieurs de ces pouvoirs aux divers systèmes hiérarchiques qui relèvent d'eux. Ils se doivent également d'obtenir une rétroaction relativement aux mandats qu'ils ont confiés.*

Dans un contexte de gestion centrée sur l'école, un nouveau partage des pouvoirs et des responsabilités se dessine, et parallèlement, la notion d'imputabilité prend tout son sens. L'instrument proposé pourra servir à faire le point sur cette question dans une organisation scolaire. Comment se vit l'imputabilité ? Quels sont les problèmes qui lui sont reliés ? De quoi est-on imputable ? Envers qui est-on imputable ?

IMPUTABILITÉ-DIAGNOSTIC

1. Comment se vit l'imputabilité dans votre contexte scolaire?

    _____

    _____

    _____

    _____

    _____

2. Pourquoi est-il si difficile de vivre l'imputabilité?

    _____

    _____

    _____

    _____

    _____

3. Quels sont les problèmes reliés à l'imputabilité?

    _____

    _____

    _____

    _____

    _____

4. Qu'est-ce qui favorise ou défavorise l'imputabilité?

    _____

    _____

    _____

    _____

    _____

IMPUTABILITÉ-DIAGNOSTIC *(SUITE)*

5. À qui êtes-vous imputables ?

_____

_____

_____

_____

_____

_____

6. De quoi êtes-vous imputables ?

_____

_____

_____

_____

_____

_____

7. Identifier des indicateurs de qualité qui pourraient être utilisés dans les écoles ?

_____

_____

_____

_____

_____

_____

BIBLIOGRAPHIE

Bowers, B.C. (1989). « State-Enforced Accountability of Local School Districts », ERIC *Digest Series* No. EA 36, ED309556 89, Eugene, Oregon.

Conseil supérieur de l'éducation (1993). *La gestion de l'éducation : nécessité d'un autre modèle*, Rapport annuel 1991-1992 sur l'état et les besoins de l'éducation, Québec, Les Publications du Québec.

Coyle-William, M. et C. Maddy-Bernstein (1991). « Perkins : Evaluating and Improving Program Effectiveness », TASSPP Brief, ED3449 91, National Center for Research, *In Vocational Education*, Berkeley.

Darling-Hammond, L. (1988). « Accountability and Teachers Professionnalism », *American Educator*, 12 (4).

Darling-Hammond, L. et C. Ascher (1991). « Accountability Mechanisms in Big City School Systems », ERIC / CUE *Digest* No. 71, ED334311, New York.

Etzioni, A. (1975). « Alternative Conceptions of Accountability », *Public Administration Review*, 35 (3), mai-juin.

Mann, D. (1990). « Time to Trade Red Tape for Accountability in Education », *Executive-Educator*, 12 (28).

Marois, P. (1996). *Prendre le virage du succès*. Plan d'action ministériel pour la réforme de l'éducation.

Newman, F.M. et M.B. King (1997). « Accountability and School Performance : Implications from Restructuring Schools », *Harvard Educational Review*, 67 (1), printemps.

Patry, M. (1992). « L'imputabilité des administrateurs publics », dans Parenteau, R. *Management public*, Sainte-Foy, Presses de l'Université du Québec.

Rapport de la commission royale sur l'éducation (1994). *Pour l'amour d'apprendre*, Toronto, Publications Ontario.

Revue canadienne de l'éducation (1995). « Accountability in Education in Canada », 20 (1), hiver.

Romzek, B.S. et J.D. Melvin (1987). « Accountability in the Public Sector », *Public Administration Review*, 47 (3).

Romzek, B.S. et M.J. Dubnick (987). « Accountability in the Public Sector : Lessons from the Challenger Tragedy », *Public Administration Review*, mai-juin.

Roquet, G. (1995). *Trente ans après le Rapport Parent*, Communication, Congrès de l'Association des cadres supérieurs du Québec (ACSQ).

Taillon, G. (1994). « Pour le développement d'une organisation imputable », *Réussir*, 3 (1-2), hiver.

CHAP **11** ITRE

LA GESTION CENTRÉE SUR L'ÉCOLE ET LE CHANGEMENT

Une fois pris dans l'événement, les hommes ne s'en effraient plus. Seul l'inconnu épouvante les hommes. Mais pour quiconque l'affronte, il n'est déjà plus l'inconnu.

Antoine DE SAINT-EXUPÉRY

LA GCE : UN CHANGEMENT DE TAILLE

CHANGEMENT À GRANDE ÉCHELLE : DÉFINITION

Introduire la gestion centrée sur l'école (GCE) dans un établissement scolaire nécessite un changement, mais pas n'importe lequel, il s'agit d'une métamorphose de grande envergure. Ce changement majeur est un processus itératif, non figé, qui se définit au fur et à mesure que les activités de transformation sont exécutées. C'est aussi un processus rétroactif, destiné à raffiner le changement. Comme le soulignent Mohrman *et al.* (1994), le changement de grande envergure est une modification durable visant le caractère même de l'organisation, de telle sorte qu'il améliore de façon significative les performances de celle-ci. Cela implique un changement profond qui s'étend à toutes les facettes de l'organisation, ce qui requiert une nouvelle conception des éléments fondamentaux de l'organisation. L'équipe-école tient compte dans ce nouveau design :

- d'établir une vision d'ensemble ;
- de mettre sur pied un cadre de travail pouvant permettre l'étude du milieu en vue du changement à apporter ;
- de mettre en place de bonnes structures de travail ;
- de fournir aux employés l'information nécessaire à la prise de décisions efficaces ;
- d'établir une direction stratégique et des principes opérationnels en amenant les employés et les administrateurs à développer de nouvelles habiletés, à acquérir de nouvelles connaissances pour mieux travailler en équipe, à appliquer de nouvelles technologies, à utiliser efficacement de nouveaux algorithmes de prise de décision et de résolution de problèmes, et à être surtout autonomes ;
- d'amener les employés à modifier leur contrat psychologique ;
- d'adapter le nouveau design à l'environnement ;
- d'améliorer le système de perfectionnement des employés.

Somme toute, c'est un changement profond qui se réalise au niveau des valeurs, des croyances, des attentes des enseignants et des administrateurs. Les objectifs visés sont les suivants :

- amener les membres de l'école à s'investir afin d'augmenter les réussites à l'école ;
- donner aux membres de l'école les outils nécessaires pour améliorer leur performance ;
- introduire au sein de l'équipe de nouveaux processus de diffusion de l'information, de prise de décision et de nouvelles structures participatives ;
- transformer le contrôle hiérarchique et bureaucratique en un contrôle autogéré.

Vu l'envergure d'un tel changement, on peut comprendre qu'il ne se produise pas selon un processus naturel d'évolution, bien qu'il arrive souvent qu'il soit une réponse aux difficultés et aux changements profonds dans l'environnement de l'organisation, modifications nécessaires à sa survie. Pour Mohrman *et al.* (1994), transférer les changements environnementaux au changement à grande échelle est un processus comportant plusieurs étapes.

ÉTAPES DE LA DYNAMIQUE DU CHANGEMENT À GRANDE ÉCHELLE

La transformation du caractère même de l'organisation se fait généralement en trois étapes.

Reconnaître le besoin de changement

Sentir, reconnaître et réaliser le besoin de changement constituent la base de la réussite de tout projet de transformation en vue de l'excellence, car c'est ainsi qu'on arrive, plus souvent qu'autrement, à gagner l'adhésion volontaire des membres à un contrat psychologique visant à « changer les choses » dans une organisation. Les responsables de la mise en œuvre du changement doivent donc amener les participants à :

- sentir, comprendre et accepter le besoin de changement ;
- s'émanciper du statu quo ;
- accepter de changer leur contrat psychologique ;
- accepter de s'engager dans le changement.

C'est à ce stade-ci que le phénomène de la résistance est à son comble, que les employés dénient les données en faveur de la métamorphose et qu'ils reviennent sur les succès des années passées dans la gestion traditionnelle.

Créer la vision

Celui ou celle qui se donne un idéal, qui y croit, qui cherche et acquiert les outils pour l'atteindre, possède une force inébranlable. Tout stratège qui a affiché une réussite, quelle qu'elle soit, a incarné cette volonté obstinée d'aller au-delà du connu qui rend l'homme capable de faire face à toute éventualité. Selon Beaudoin (1987 : 105) : « Le manager efficace est celui qui rend possible l'impossible, celui qui fait réaliser l'extraordinaire à des gens ordinaires. Le changement vient du cœur de l'homme, de ses capacités à évaluer les possibilités et à agir avec tout son être. » Mais avant toute chose, il lui faut avoir une vision. Si le stratège n'a pas de vision, l'imagination, l'esprit d'initiative, la persévérance ne pourront lui être d'aucune aide dans l'atteinte de ses objectifs, ni même dans l'accomplissement de sa mission.

La vision est comme l'étoile polaire qu'on observe dans le firmament. Cet astre guide, oriente, dirige vers le point qu'on veut atteindre.

On peut s'en approcher, mais sans jamais l'atteindre. C'est une projection que fait tout stratège qui souhaite voir son organisation occuper une place dans le futur. Ainsi, la vision est cette image de l'école projetée dans le futur ; c'est ce que les membres d'une école recherchent pour elle. En d'autres termes, c'est la situation où l'on voudrait voir notre école dans un moment indéterminé du futur.

Selon Fillion (1989), dès que l'on porte attention au fonctionnement d'un gestionnaire sous l'angle de sa progression visionnaire, on peut relever trois catégories de visions relativement distinctes : ce sont les visions émergentes, la vision centrale et les visions secondaires.

Les visions émergentes s'articulent autour des idées que le gestionnaire et son équipe mettent de l'avant pour assurer l'excellence de leur école. Avant de demander à l'équipe-école de s'engager dans un processus de changement, le directeur doit faire un tri parmi ses visions émergentes et celles lancées pêle-mêle par les autres jusqu'à ce qu'il arrête son choix sur une ou un ensemble de visions, lesquelles finiront par constituer un choix définitif, ou encore, l'ossature autour de laquelle s'élaborera la vision centrale.

> On peut dire que la vision centrale commence à prendre forme lorsqu'on a fait des choix parmi les visions émergentes, lorsqu'on a sélectionné une ou plusieurs visions émergentes, lesquelles en étant parfois regroupées, permettront d'élaborer et de faire cheminer une vision qui deviendra la vision principale, la vision centrale (Fillion, 1989).

La vision centrale se présente donc, le plus souvent, comme l'aboutissement d'une seule vision émergente, mais parfois aussi comme la somme de plusieurs. Cette vision comporte deux composantes : les composantes internes et externes. La vision centrale interne porte sur le type d'organisation que l'on veut mettre en place, sur le caractère que l'on veut lui donner pour la réalisation de la vision centrale externe. Cette dernière rend alors compte de la place qu'on veut que l'école occupe dans le monde scolaire. Par conséquent, la composante interne semble comme une condition pour la réalisation de la vision externe.

La vision centrale déterminée, le gestionnaire peut relever l'ensemble des visions secondaires qui permettront de faire progresser la vision centrale. Les visions secondaires, appuis à la vision centrale, s'expriment le plus souvent par des activités de gestion plus ou moins nombreuses et de toutes natures qu'il faudra entreprendre pour favoriser la progression de la vision centrale. Ces visions vont se greffer autant à la composante interne qu'externe (Bennis et Nanus, 1985; Fillion, 1989). Créer une vision se résumerait à la charpente suivante :

- élaborer sur ce qu'on voudrait que l'école soit dans le futur;
- développer un scénario d'unité;
- repérer les visions émergentes;
- construire ou retenir la vision principale;
- prendre en considération les visions secondaires;
- se donner une mission;
- imaginer les besoins de l'environnement pour la performance;
- constater les écarts entre ce qui existe et ce dont on a besoin;
- définir le changement dans la pratique, les processus et la structure requise;
- propager l'image commune nécessaire au changement.

Poser la fondation

La fondation est l'ensemble des activités destinées à assurer, à la base, la stabilité d'une construction. Apporter un changement dans la structure même, dans les divers processus qui régissent une école, nécessite une fondation solide dont la construction tiendra compte de la vision centrale retenue. Travailler à cette fondation fait intervenir plusieurs actions à poser. Le directeur stratège doit :

- déterminer et définir les nouvelles valeurs à la base :
  - des apprentissages,
  - de l'acquisition de la conscience individuelle et collective,
  - de l'amélioration de la performance,
  - de la culture de l'école,
  - des valeurs, suppositions;
- intégrer dans l'établissement du cheminement de transformation les éléments comme :
  - le partage des moyens techniques, des outils et des expériences de vie et de travail,
  - la compréhension mutuelle,
  - l'engagement des enseignants,
  - le professionnalisme des enseignants,
  - les résultats scolaires,

- l'engagement de la communauté,
- l'engagement des administrateurs.

Dans ce processus, ce serait une erreur de mettre seulement l'accent sur le côté humain et idéologique des valeurs comme l'engagement, la croissance et le développement, le fonctionnement démocratique, comme cela se fait actuellement. Il faut aussi, et surtout, insister sur les valeurs de la performance et bien les préciser.

Le changement dans les éléments de l'organisation doit être confié à une équipe représentative, déléguée à la conception des éléments de l'école en tant que système pris dans leur unicité et dans leur globalité, compte tenu de la valeur fondamentale, en collaboration avec les différentes équipes assignées à l'adaptation des divers sous-systèmes.

IMPLANTER LE CHANGEMENT

Le processus d'implantation du changement est un cheminement itératif destiné à raffiner la métamorphose. Ce processus n'est pas figé et se définit au fur et à mesure que le travail avance ; par conséquent, l'implantation du changement demande beaucoup de prudence. Que devrait-on faire ? Voici les actions à poser :

- faire une étude de l'environnement devant subir le changement ;
- établir une direction stratégique et des principes opérationnels ;
- concevoir, proposer et faire accepter un ensemble complexe d'activités ;
- définir les éléments qui soutiennent leur fonctionnement ;
- identifier les approches les plus efficaces ;
- donner du support aux équipes pour l'implantation du changement ;
- adapter la conception à l'environnement ;
- affronter les résistances politiques, techniques et culturelles qui viseront à contrecarrer tout le processus du changement (Tichy et Devanna, 1986) ;
- amener les participants à sortir des anciens cadres administratifs.

Toutes ces étapes sont importantes. Cependant, si l'une d'elles est interrompue pour une raison ou une autre, on ne parviendra pas à implanter le changement. Le plus souvent, les raisons invoquées pour expliquer l'échec ont trait à la non-reconnaissance de l'utilité de l'une ou l'autre étape, le manque de ressources de tous ordres, la tiédeur de l'engagement des groupes clés dans le processus et la présence de personnes qui entravent la dynamique du changement.

CHANGEMENT À GRANDE ÉCHELLE : CINQ ÉLÉMENTS FONDAMENTAUX

Lorsqu'on parle de changement à grande échelle, on imagine une transformation qui améliore un mode de vie ou une façon de faire. Ce genre de changement vise, en effet, la performance élevée de l'organisation. Définir la performance permet de comprendre jusqu'à quel point le changement lui est conditionnel. Elle est l'ajustement entre la conception de l'organisation, les technologies utilisées et les stratégies organisationnelles (Nadler, Gerstein et Shaw, 1992 ; Galbraith, Lawler *et al.*, 1993 ; Mohrman *et al.*, 1994). Selon ces auteurs, toute organisation est un objet fabriqué qui peut être construit et dont le design détermine le résultat. Le changement visant une nouvelle conception des éléments de l'organisation doit s'exercer sur cinq éléments fondamentaux : les tâches, l'information, les ressources humaines, la structure et les valeurs et les normes organisationnelles. Pour ce faire, il faudrait arriver à designer ces six éléments tout en tenant compte des nouvelles transformations que subit l'environnement.

Tâches, technologie et design du travail

La centralisation s'appuie avant tout sur la standardisation des tâches, ce qui va à l'encontre de la nouvelle manière de concevoir le travail. Le nouveau design doit :

- concevoir le travail de telle sorte qu'il y ait une manière appropriée d'exécuter les tâches ;
- inciter l'équipe-école à apprendre à utiliser les nouvelles technologies ;
- proposer des activités où l'on utilisera efficacement les technologies nouvelles.

Information et système de décision

Réorganiser le système d'information et de prise de décision, c'est mettre en relief le lien organique de l'école avec son environnement, en plus de s'intéresser aux relations entre les composantes humaines, matérielles, techniques et financières, qui, ensemble, constituent les ressources de l'école. L'information, une de ces ressources, quoique essentielle à la prise de décision, a été quelque peu négligée. Parce qu'elle représente le ciment unificateur de l'école tout en constituant l'élément de base pour une prise de décision éclairée, l'information est pour l'école une ressource clé pour son évolution et son devenir (Beaudoin, 1987). Cependant, l'information représente une pierre d'achoppement pour bon nombre de gestionnaires. Une communication réelle oblige à aller de l'avant, à se mettre à l'écoute et à s'engager. Dans le processus de redéfinition des systèmes d'information, l'accent doit être mis sur :

- le partage de l'information ;
- la communication aux divers collaborateurs des intentions, des valeurs et des croyances du stratège, afin qu'il les rallie tous autour de son dessein ;
- la mise en commun des contributions individuelles et communes selon des protocoles formels ou informels ;
- la décentralisation et la participation au processus de prise de décision et de définition des buts et objectifs.

Ressources humaines

Le changement dans une école s'opère par le biais d'un élément intégrateur éminemment complexe : l'être humain. Par sa rationalité, son émotivité et son savoir-faire, il confère à l'école sa raison d'être. Pour peu qu'elles s'y dévouent, les ressources humaines décuplent la valeur des systèmes et des technologies. L'école d'aujourd'hui ne peut se priver de la richesse d'un personnel motivé, car ce dernier représente le catalyseur de son développement et la source de son énergie vitale. Dans le processus de réorganisation, on doit tenir compte :

- des caractéristiques démographiques, des valeurs des employés, de leurs habiletés, de leurs expériences, de leurs attentes et de leurs attitudes ;
- de l'investissement dans la formation continue et dans le développement du personnel ;
- de la participation des employés au processus de sélection et d'embauche de nouvelles ressources humaines ;
- du nouveau design des systèmes d'évaluation, d'appréciation, de réaffectation et de récompense du personnel ;

- de l'augmentation du pouvoir des enseignants;
- de leur adaptation et de leur recyclage.

Structure

Dans le contexte du nouveau design, il doit y avoir:
- un système de contrôle autogéré;
- la décroissance du contrôle bureaucratique et hiérarchique;
- l'adaptation des employés aux unités appropriées;
- la participation des employés dans la coordination du travail.

Valeurs et normes organisationnelles

Il y a changement de culture, s'il y a changement dans:
- les pratiques,
- les processus,
- les structures de travail.

CHANGEMENT À GRANDE ÉCHELLE ET « CONTEXTUALISME »

L'école en tant qu'organisation est un système ouvert dans un environnement. Sa survie dépend de ce que Pettigrew (1985) appelle le « contextualisme », ce qui signifie la compréhension des événements et des phénomènes dans leur essence ou dans leur composition. Il faut donc, afin qu'un changement réussisse à s'implanter, comprendre:
- les contenus et les processus du changement à travers le contexte dans lequel il se déroule;
- l'influence des forces contextuelles;
- l'interaction de la dynamique du changement avec les événements contextuels, car il est impossible de comprendre pourquoi l'introduction d'un changement réussit ou non, prend une forme ou une autre, sans connaître les éléments contextuels qui existent simultanément.

Le contexte de l'école, n'étant pas statique, affecte le déroulement de la gestion centrée sur l'école. Cette dernière doit développer des approches flexibles pour prévoir les changements contextuels et s'y adapter.

STRATÉGIES D'AMÉLIORATION DE LA GCE

La recension des écrits effectuée par Mohrman *et al.* (1994) met en lumière diverses stratégies pour améliorer les chances de réussite d'un changement de grande envergure dans les écoles. Cette recension propose quatre éléments principaux à améliorer tels que nous les présentons dans le tableau 11.1.

Tableau 11.1
STRATÉGIES DE CHANGEMENT DE GRANDE ENVERGURE DANS LES ÉCOLES

I.   Accroître le pouvoir
    1. Impliquer l'équipe-école dans les décisions.
    2. Tenir compte des résultats de l'apprentissage des élèves.
    3. Établir de nouveaux modèles de collaboration.
    4. Construire une forte culture organisationnelle.
    5. Se donner une vision holistique du changement.

II.   Améliorer la connaissance
    1. Percevoir le savoir comme un facteur important.
    2. Utiliser une connaissance narrative et paradigmatique.
    3. Préciser, par écrit, les changements à apporter.
    4. Procéder avec des équipes de travail flexibles.
    5. Conceptualiser l'école dans une vue systémique.
    6. Approfondir le savoir par une formation appropriée.
    7. Développer un ensemble de moyens pour compléter la formation.

III. Améliorer l'information
    1. Favoriser l'accès à de nouvelles informations.
    2. Renforcer les modalités de partage de l'information.
    3. Utiliser l'information selon une approche systémique.

IV. Améliorer les récompenses
    1. Utiliser des récompenses intrinsèques liées à la satisfaction au travail.
    2. Établir un équilibre entre le pouvoir et la responsabilisation.

ACCROÎTRE LE POUVOIR

Stratégie 1   L'augmentation du pouvoir conduit inévitablement à une réforme dans le système de prise de décision où l'implication de l'équipe-école est primordiale.

Stratégie 2   Le design et l'implantation du partage du pouvoir dans la GCE doit prendre en considération :
- les nouveaux résultats relatifs aux apprentissages des élèves ;
- la prise de décision après l'analyse des résultats des élèves ;
- le besoin de multiplier les structures de prise de décision, en l'occurrence, les diverses unités d'organisation ;
- le besoin d'améliorer la coordination entre les unités.

Stratégie 3   L'implantation du partage du pouvoir au sein de la GCE nécessitera de nouveaux modèles de collaboration entre les écoles et les commissions scolaires. Il faudra alors :
- restructurer l'école dans la commission scolaire ;
- restructurer les relations entre la commission scolaire et l'école ;
- considérer le degré d'engagement à tous les niveaux ;
- considérer le degré de bureaucratisation.

Stratégie 4   Implanter le partage du pouvoir nécessitera la construction d'une forte culture professionnelle. Il faut :
- encourager l'apprentissage des enseignants et le travail en équipe ;
- mettre au point des structures formelles de prise de décision.

Stratégie 5   L'implantation du partage du pouvoir nécessitera de voir le processus de changement comme un voyage holistique qui relève de l'incertitude, de l'apprentissage, de la réflexion, de l'affrontement des idées et de la vision partagée.

AMÉLIORER LA CONNAISSANCE

La connaissance est la somme du savoir et des habiletés qui rendent les employés capables de comprendre et de contribuer à la performance de l'école.

Stratégie 1   Il faut utiliser à bon escient le savoir, facteur important, prôné par la nouvelle vision du fait scolaire.

Stratégie 2   La connaissance narrative et paradigmatique doit faire partie des schèmes scolaires.

Stratégie 3   Des stratégies d'implantation doivent préciser, par écrit, les changements souhaités et en faire une clarification conceptuelle.

Stratégie 4   Il faut utiliser les réseaux et les équipes interchangeables pour bâtir une connaissance du changement et du fait scolaire.

Stratégie 5   Les dirigeants scolaires ont besoin d'une connaissance approfondie des buts scolaires et des liens qui existent, d'une part, entre les écoles, elles-mêmes, et, d'autre part, entre les écoles et la commission scolaire.

Stratégie 6   Il faut développer le savoir par le biais d'une formation appropriée en tenant compte :

- de la compréhension des connaissances et des théories sous-jacentes aux principes de prise de décision ;
- du modelage et de la démonstration de la prise de décision ;
- de la formation pour améliorer les habiletés ;
- de la rétroaction.

Stratégie 7   On doit fournir diverses formes d'assistance pour construire la connaissance et les habiletés de base qui s'y rattachent. La formation seule est insuffisante pour améliorer la gestion centrée sur l'école. Il faudrait y ajouter :

- le contrôle, là où le directeur stratège amène l'équipe-école à atteindre les résultats visés ;
- la formation, là où le stratège transmet l'information de façon explicite, en développant les habiletés de l'équipe-école de manière structurée ;
- les solutions, là où le stratège donne des réponses, des conseils et des solutions aux problèmes posés par l'équipe-école ;
- les ressources, là où le stratège fournit du matériel, de l'argent, du temps et d'autres ressources nécessaires au fonctionnement optimal de l'équipe-école ;
- la plaidoirie, là où le stratège représente activement les intérêts de l'équipe-école et les défend en protégeant ses enseignants ;
- la facilitation, là où le stratège aide l'équipe à atteindre ses buts ;
- les demandes de renseignements, là où le stratège s'informe des difficultés et redonne l'information sous forme de formation ;
- le soutien, là où le stratège encourage et soutient émotionnellement l'équipe.

AMÉLIORER L'INFORMATION

Stratégie 1 Il faut mettre l'accent sur l'intérêt des enseignants à développer de nouveaux usages de l'information en établissant un contact étroit entre chercheurs et enseignants et en développant, utilisant et encourageant le réseau des professeurs.

Stratégie 2 Il faut renforcer la manière dont l'information est partagée et utilisée par l'école et la commission scolaire.

Stratégie 3 Il faut procéder à une réorganisation systémique du développement de l'usage de l'information.

AMÉLIORER LES RÉCOMPENSES

Stratégie 1 Le stratège doit :
- offrir une variété de récompenses qui correspondent aux efforts déployés ;
- discuter avec les enseignants d'une politique de récompenses à la fois psychosociales et monétaires ;
- faire en sorte que les enseignants soient satisfaits d'avoir contribué à « changer des choses » dans la vie de leurs élèves ;
- permettre aux enseignants de disposer de suffisamment de matériel pour l'enseignement.

Stratégie 2 Le stratège doit enfin mettre l'accent sur l'équilibre entre le pouvoir des enseignants et leurs responsabilités.

RÔLES DES MEMBRES DE LA GCE

Comme nous l'avions déjà mentionné, la gestion centrée sur l'école est une forme de restructuration scolaire, et lorsqu'on parle de restructuration, on fait intervenir la notion de changement, de partage de pouvoir et de responsabilités. Il y a alors lieu de se demander qui fait quoi. Pour Lindelow et Bentley (1989), la gestion centrée sur l'école transforme le directeur d'école en acteur central qui veille à rendre l'équipe-école consciente du besoin de changement, à créer la vision de l'école et à implanter le changement. Les commissions scolaires sont, par conséquent, obligées d'effectuer un transfert de leurs autorité et responsabilités aux écoles. Chaque membre de l'organisation scolaire subit des changements qui portent sur les responsabilités assumées auparavant. Ainsi, les administrateurs scolaires deviennent des facilitateurs ; le directeur, le superleader ; les enseignants, des autoleaders ; les parents et les autres acteurs, des participants.

LE COMITÉ DE LA GCE

Le rôle du comité de la GCE dans le processus de prise de décision doit être aussi simple que ceci : trouver les moyens de mener l'école à l'excellence en prenant de bonnes décisions. À titre indicatif, ce comité peut remplir les fonctions du conseil d'établissement et assumer, en plus de ses responsabilités de base légèrement modifiées, celles préconisées par la GCE. Un tel changement invite la commission scolaire à apporter plusieurs modifications dans son fonctionnement.

LA COMMISSION SCOLAIRE

La commission scolaire doit tout d'abord accepter l'implantation de la GCE. Elle doit agir comme facilitateur des démarches de la gestion centrée sur l'école. Les administrateurs, qui avaient le pouvoir de tout contrôler, doivent partager ce pouvoir en devenant des administrateurs centrés sur l'école plutôt que des administrateurs-chefs.

Selon Lindelow et Bentley (1989), dans plusieurs districts scolaires de certains États des États-Unis (la Californie, le Massachusets), les administrateurs scolaires étaient responsables de trois fonctions principales : contrôler rigoureusement le budget, fournir de l'assistance technique aux écoles et agir comme vérificateurs des dépenses des districts scolaires. Les commissions scolaires qui mettent de l'avant la GCE doivent conserver le contrôle des deux dernières fonctions.

Pour ce faire, la commission scolaire doit :
– agir pour faciliter plutôt que de dicter ;
– agir comme un soutien aux ressources humaines, financières et matérielles ;
– soutenir l'école dans les moments difficiles ;
– encourager le comité à faire quelque chose de positif ;
– offrir de l'assistance technique aux écoles et à leurs membres ;

- fournir aux écoles les rapports sur les buts, objectifs et politiques de la commission scolaire ;
- déterminer le budget dont chaque école doit disposer ;
- allouer le budget global et le répartir équitablement entre les écoles ;
- faciliter les procédures de transfert de fonds dans les écoles ;
- laisser la liberté à l'école :
  - de s'occuper de la gestion des programmes et du budget,
  - d'établir un système de planification, de contrôle et d'évaluation,
  - de promouvoir la formation continue du personnel de l'école et des élèves.

LE DIRECTEUR

Le directeur qui applique la gestion centrée sur l'école doit jouir d'une autorité et d'une autonomie lui permettant de bien diriger son équipe. En tant que leader, il est responsable de tout ce qui concerne les programmes, le personnel et le budget de l'école. Il doit développer les aptitudes nécessaires pour travailler en collaboration avec les enseignants, le personnel non enseignant, les parents et les élèves.

Les programmes

Le directeur jouit d'une grande latitude dans la prise de décision concernant les programmes. Avec son équipe, il doit :

- établir des relations de partenariat et y instaurer la collégialité ;
- déterminer les besoins de l'école ;
- voir à l'application des programmes du MEQ et à la conception de programmes locaux en tenant compte des besoins de l'école ;
- poursuivre les objectifs fixés par la commission scolaire en toute liberté.

Le personnel

Le directeur, en concertation avec son équipe, est attentif à adapter les programmes selon les besoins et désirs exprimés par la communauté scolaire et non scolaire. C'est, en effet, à lui que revient la responsabilité de voir œuvrer dans son école un personnel enseignant qui réponde à ces besoins et désirs. Une gestion centrée sur l'école exige que ses membres répondent aux critères de partenariat et de collégialité dont il a été question dans les chapitres précédents. Il est donc du devoir du directeur, toujours de connivence avec son comité :

- de choisir de bons enseignants pour son école ;
- de pourvoir à l'encadrement de ses employés et à leur formation ;
- de négocier, avec la commission scolaire, le salaire, les conditions de travail, les bénéfices marginaux, les procédures de grief, etc., des employés sélectionnés.

Le budget

Un aspect important à contrôler dans la GCE est le budget de l'école. En effet, c'est le budget qui permet au directeur et à son comité de gérer les programmes, d'offrir un cadre de travail fonctionnel au personnel enseignant, non enseignant et, surtout, aux élèves, de même qu'aux divers comités qui se réunissent pour prendre des décisions.

La budgétisation menée par la GCE augmente le souci d'efficience, étant donné que les membres du comité prennent conscience des coûts des matériels et des programmes requis pour le bon fonctionnement de l'école. Le sens de l'économie, de la rationalisation et de la répartition des ressources financières se développe chez les membres de la GCE et fait place à l'indifférence des cadres de la commission scolaire qui ignorent ou ne comprennent pas toujours les réalités quotidiennes des écoles (Lindelow et Bentley 1989).

Le directeur d'école et son équipe :

- préparent le budget de l'école ;
- dressent une liste des dépenses à faire durant une année, compte tenu de toutes les activités de son personnel enseignant et non enseignant et des divers comités et conseils de l'école.

Les enseignants

Dans la GCE, le plus souvent, c'est le représentant du comité des enseignants ou quelques enseignants choisis par le directeur ou encore quelques enseignants volontaires qui participent au processus de prise de décision. Permettre cette participation aux enseignants est un signe concret de partage de pouvoir. C'est une occasion qui pousse les enseignants à acquérir un sentiment d'appartenance, à vouloir changer des choses, à adopter une attitude très positive, à créer, à innover, à développer et à évaluer leurs propres programmes (Lindelow et Bentley, 1989).

Pour Pierce (1980), conférer une autorité pareille aux enseignants les rend plus responsables de leur performance, de leur efficacité et, surtout, de celles de leurs élèves, tout en les rendant aussi plus responsables de leurs échecs.

Ces enseignants doivent :

- passer par les étapes du processus d'acquisition et d'augmentation du pouvoir ;
- acquérir les notions du partenariat et de collégialité ;
- acquérir des connaissances en vue d'améliorer leur performance ;
- prendre de bonnes décisions.

LA COMMUNAUTÉ SCOLAIRE ET NON SCOLAIRE

Cette catégorie d'acteurs inclut les parents d'élèves, les professionnels non enseignants et les autres membres, parfois choisis dans la communauté sans qu'ils ne soient parents d'élèves, mais qui peuvent apporter beaucoup d'idées nouvelles. Impliquer les membres de la communauté dans la GCE est indéniablement avantageux. Et comme l'expriment si bien Lindelow et Bentley (1989 : 132) « l'implication de la communauté dans les écoles accroît le soutien des écoles par la communauté. Et l'école devient plus sensible aux attentes de la communauté. » Cette assertion est véridique pourvu que les idées avancées par les membres de la communauté et leurs propositions soient prises en considération par les éducateurs, le directeur et les commissions scolaires, ce qui n'est pas toujours le cas actuellement dans les établissements scolaires du Québec. En effet, les parents semblent se plaindre du peu de place qu'on leur réserve. Le problème le plus souvent rencontré dans la gestion centrée sur l'école est que les parents se sentent en quelque sorte exclus du processus de prise de décision. Même s'ils font partie du comité de la GCE, trop souvent les parents voient leur autorité remplacée par celle des professionnels de l'école et ce n'est pas simple, pour eux, de s'imposer comme participant à part entière dans le processus de décision de l'école.

Les membres de la communauté doivent donc :

- comprendre les éducateurs ;

- acquérir des notions de partenariat;
- prendre leur place;
- aider l'école à prendre de bonnes décisions.

CONCLUSION

Ce chapitre a démontré que la gestion centrée sur l'école nécessite l'introduction d'un changement à grande échelle, mais progressif, qui affecte toutes les facettes de l'organisation scolaire. Ce changement se réalise à travers différentes étapes. Il faut d'abord reconnaître le besoin de changement, ensuite créer une vision de ce qu'il doit apporter, puis le stabiliser.

Implanter le changement demande beaucoup de prudence. Aussi, ce chapitre a-t-il présenté un ordre séquentiel rigoureux où ont été mis en relief les éléments fondamentaux sur lesquels le changement doit s'exercer : les tâches, l'information, les ressources humaines, la structure et les valeurs. De plus, nous avons relevé l'importance de tenir compte du contexte dans lequel était introduit le changement.

Les statégies présentées pour mener à bien l'implantation d'un changement de grande envergure dans les écoles sont les suivantes : accroître le pouvoir, améliorer la connaissance et l'information et utiliser des récompenses intrinsèques au travail.

Dans la dernière partie du chapitre, nous avons précisé les rôles des membres de l'équipe-école, du comité de la GCE, de la commission scolaire et du directeur de l'école.

INSTRUMENT	*Ce dernier chapitre situe la gestion centrée sur l'école comme un changement d'une grande ampleur. Il mentionne*

l'importance pour les intervenants de reconnaître un besoin de changement et de faire montre de prudence dans son implantation.

Les membres du personnel sont-ils prêts et capables de faire fonctionner l'équipe-école ? Les administrateurs sont-ils en mesure d'appuyer ce changement ? La culture, les politiques institutionnelles et la communauté appuient-elles ce changement ?

L'instrument proposé permettra aux acteurs de répondre à ces interrogations et de mieux se situer dans la perspective de l'important changement qu'impose la gestion centrée sur l'école.

LA FAISABILITÉ DE L'IMPLANTATION DE LA GESTION DE L'ÉCOLE PAR L'ÉQUIPE-ÉCOLE

A. Les membres du personnel sont-ils prêts et capables de faire fonctionner l'équipe-école ?

		Peu			Beaucoup	
1.	Les membres sont-ils prêts à acquérir de nouvelles habiletés techniques, administratives et interpersonnelles ?	1	2	3	4	5
2.	Quelle est l'attitude des membres du personnel à l'égard de l'engagement au travail ?					
3.	Les syndicats et politiques institutionnelles permettent-ils le développement de l'équipe ?	1	2	3	4	5
4.	Les membres sont-ils prêts à partager leurs connaissances ?	1	2	3	4	5

B. Les administrateurs sont-ils en mesure de maîtriser et d'appliquer les principes de leadership nécessaires à l'équipe-école ?

		Peu			Beaucoup	
5.	Historiquement, comment les administrateurs répondent-ils au changement ?	1	2	3	4	5
6.	Y a-t-il une tradition d'encouragement et de soutien à la participation et au développement du personnel enseignant ?	1	2	3	4	5

	Peu			Beaucoup	
7. Les administrateurs sont-ils en mesure de renforcer les actions positives et de réorienter les actions négatives ?	1	2	3	4	5
8. Comment les administrateurs réagissent-ils aux défis posés par les enseignants ?	1	2	3	4	5
9. Comment les administrateurs réagissent-ils aux conflits que peuvent avoir à résoudre les enseignants ?	1	2	3	4	5
10. Le moment venu, les administrateurs céderont-ils le pouvoir à l'équipe-école ?	1	2	3	4	5

C. La culture et les politiques institutionnelles soutiendront-elles le développement de l'équipe-école ?

	Peu			Beaucoup	
11. Les politiques institutionnelles et les syndicats encoura- gent-ils la confiance entre les enseignants et les autres personnels ?	1	2	3	4	5
12. La performance est-elle plus importante que la satisfaction au travail ?	1	2	3	4	5
13. Les plans de développement sont-ils accessibles ?	1	2	3	4	5
14. Le syndicat soutient-il la transition vers l'autonomie ?	1	2	3	4	5
15. Comment le réseau de communication entre les différents services fonctionne-t-il ? Pourra-t-il soutenir le changement ?	1	2	3	4	5

D. La communauté soutiendra-t-elle le développement de l'équipe-école ?

	Peu			Beaucoup	
16. Les parents accepteront-ils l'idée du pouvoir partagé et de l'autonomie des enseignants ?	1	2	3	4	5
17. Comprendront-ils les avantages que la transition peut entraîner dans la réussite scolaire ?	1	2	3	4	5

BIBLIOGRAPHIE

BEAUDOIN, P. (1987). *Leadership technologique : le défi du gestionnaire*, Dorval, Les Éditions PBA.

BENNIS, W. et B. NANUS (1985). *Leaders : The Strategies for Taking Charge*, New York, Harper Collins.

GALBRAITH, J.R., E.E. LAWLER *et al.* (1993). *Organizing for the Future : The New Logic for Managing Complex Organizations*, San Francisco, Jossey-Bass Publishers.

Fillion, L.J. (1989). « Le développement d'une vision : un outil stratégique à maîtriser », *Gestion*, 14 (3), 1-36.

LINDELOW, J. et S. BENTLEY (1989). *School Leadership, Handbook for Excellence*, 2ᵉ édition, ERIC, Clearinghouse on Educational Management, College of Education, University of Oregon.

MOHRMAN, S.A., P. Wohlstetter *et al.* (1994). *School-Based Management : Organizing for High Performance*, San Francisco, Jossey-Bass Publishers.

NADELR, D.A., M.S. GERSTEIN et R.B. SHAW (1992). *Organizational Architecture : Design for Changing Organizations*, San Francisco, Jossey-Bass Publishers.

PETTIGREW, A.M. (1985). « Contextualist Research : A Natural Way to Link Theory and Practice », dans LAWLER, E.E. *et al.* (dir.). *Doing Research that is Useful for Theory and Practice*, San Francisco, Jossey-Bass Publishers.

TICHY, N.M. et M.A. DEVANNA (1986). *The Transformational Leader*, New York, Wiley.

CONCLUSION

La performance des écoles décriée par plusieurs peut-elle actuellement justifier des changements radicaux ? L'école doit-elle être transformée, restructurée ? Poser la question, c'est y répondre.

Deux principes fondamentaux doivent guider cette transformation :

1. Tout élève peut réussir.
2. L'école doit contrôler les conditions de succès ou d'échec des élèves.

L'école doit devenir un centre de décisions où les enseignants et les administrateurs contrôlent les priorités et les conditions nécessaires à l'apprentissage des élèves. Les enseignants et la direction de l'école auront analysé les données quant à la performance de leurs élèves pour relever le ou les besoins d'amélioration, en tenant compte de l'unicité de l'école, de sa clientèle et de son environnement.

Cette transformation représente une modification des caractéristiques sociales qui existent entre les membres de l'organisation. Elle doit mettre l'accent sur les résultats des gestes posés à l'école au bénéfice des élèves. Pour cela, la collaboration des enseignants est nécessaire, car les décisions doivent être prises le plus près possible de l'action. Il est donc primordial d'élaborer un modèle de participation pour les enseignants.

Une réforme globale imposera, dans toute l'organisation scolaire, des changements systémiques qui influenceront le rôle de chacun des intervenants du monde scolaire. Ce changement est fondamental, car les améliorations, qu'il est nécessaire d'apporter dans tout le système d'éducation, sont tellement considérables qu'elles ne peuvent être réalisées dans le cadre du système actuel qui est très complexe, bureaucratique et semblable d'une commission scolaire à l'autre. Par exemple, l'équipe-école qui veut améliorer son programme de français a tôt fait de se buter aux différents gestionnaires du système qui ont des décisions à prendre sur divers aspects de l'amélioration du programme.

Le changement doit être vertical. La structure hiérarchique, représentée habituellement par une pyramide, doit être modifiée par une structure de participation représentée par un cercle. Le changement doit aussi s'étendre progressivement à l'ensemble des écoles d'une même commission scolaire, sinon certains élèves d'un même milieu bénéficieront d'une éducation optimale alors que d'autres devront se contenter d'une éducation de moindre qualité.

Une école qui se prend en main est caractérisée par une gestion exercée par l'équipe-école, où le pouvoir des enseignants est suffisamment grand pour contrôler les conditions influençant la réussite des élèves, où la collégialité et le partenariat se vivent quotidiennement et où les enseignants sont considérés comme de véritables professionnels (figure 1).

Une des caractéristiques de la transformation souhaitée est la décentralisation, au moins partielle, de l'organisation scolaire. On ne peut pas tout décentraliser ni tout centraliser. Les organisations scolaires reflètent encore souvent le type taylorien, bureaucratique, pyramidal. Les critiques dans le domaine scolaire sont nombreuses et elles augmenteront encore lorsqu'une nouvelle génération d'enseignants mettra le pied dans l'école, génération vraiment habituée à s'exprimer, à poser des questions, à mettre en doute, à négocier et à contester. Le système aura le choix de les avaler ou d'utiliser leurs qualités; il est à espérer qu'il permettra plutôt à cette génération de s'exprimer.

Une école qui se prend en main peut libérer les pratiques du traditionnel carcan bureaucratique. Pourquoi l'école ne jouirait-elle pas de plus de pouvoirs de décision? L'intérêt de considérer l'école de cette façon repose sur le fait que le mot « équipe » ne désigne pas que les composantes internes de l'école, mais aussi les forces qui s'exerceront dans son environnement, c'est-à-dire les conseils d'établissement et la communauté.

Pour Murphy (1991), ce type d'administration accordé à l'élément situé le plus bas dans la hiérarchie est un élément clé de la gestion centrée sur l'école. C'est une forme de décentralisation qui confie aux membres de la communauté environnant l'école et au personnel de l'école, le pouvoir et l'autorité en ce qui concerne les prises de décision. Pour Clune et White (1988: 1), c'est « un système d'information qui

Figure 1
LA GESTION CENTRÉE SUR L'ÉCOLE

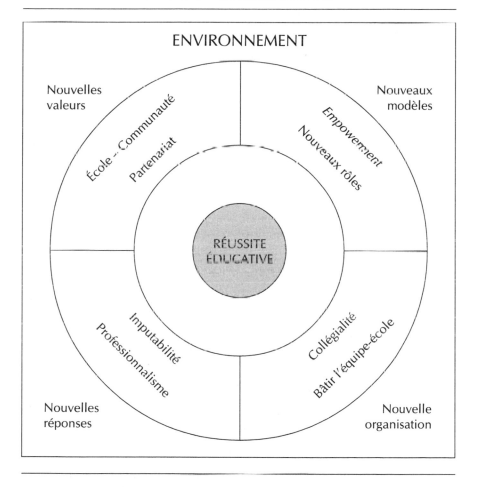

augmente l'autorité des acteurs au sein de l'école pour améliorer l'éducation ». L'école est alors considérée comme une entité autonome.

L'objectif de cette façon de décentraliser certaines décisions reflète bien le désir de s'engager de toutes les personnes ou catégories de personnes liées à la cité éducative. Une attention particulière sera donc apportée à la consultation. Le mécanisme administratif de l'administration de l'école par elle-même visera donc à lui fournir des moyens solides pour qu'elle puisse offrir à sa clientèle la meilleure éducation possible.

L'administration de l'école par l'équipe-école pourrait donc se donner comme objectifs d'augmenter ou d'améliorer :

- la participation, l'implication ;
- le sentiment d'appartenance ;
- la coopération, le partenariat ;
- le professionnalisme ;
- les résultats de l'école.

Dans un tel contexte, on doit s'attendre à ce que soient modifiés les rôles et fonctions des échelons de la pyramide sans oublier que, selon les organisations, des pouvoirs peuvent ou non être délégués. Ainsi, chaque école étant une unité distincte, les commissaires pourraient notamment :

- faire preuve de flexibilité et d'ouverture pour comprendre la situation particulière de chaque école ;
- défendre avec constance la philosophie du nouveau mode d'administration.

Les directeurs d'écoles, au cœur de l'action, sont les leaders d'une communauté préoccupée par l'apprentissage. Ils deviennent responsables d'équipes administratives formées des représentants de groupes importants que sont les enseignants, les étudiants et les parents. Le directeur a donc intérêt à :

- créer une équipe solide de partenaires ;
- bien déterminer les besoins de l'école pour faciliter la prise de décision et le choix de moyens pour répondre à ces besoins ;
- faciliter l'encadrement et la formation de l'équipe-école.

Et quant à ses enseignants, une des première tâches du directeur d'école sera de pourvoir à leur encadrement et à leur formation. Comme le directeur d'école est au cœur du développement du pouvoir des enseignants, il doit favoriser des gestes qui permettent aux enseignants d'être de véritables professionnels dans l'école. Il constitue un des fondements du pouvoir chez les enseignants. Le directeur d'école qui est mal préparé ou qui souffre d'une insécurité telle qu'il doit contrôler tout dans les moindres détails, qui laisse peu d'autonomie à ses enseignants, qui n'a pas confiance en leurs capacités professionnelles, est un obstacle de taille à l'amélioration de l'école et de l'enseignement.

Le directeur d'école qui désire augmenter le pouvoir de ses enseignants :

- exprime clairement sa vision de l'école et en établit les objectifs ;
- développe des formes variées d'appréciation et de reconnaissance ;
- est visible et accessible ;
- présente des attentes élevées et encourage les enseignants à prendre des risques calculés ;
- partage la prise de décision ;
- recherche, chez les enseignants, des intrants à insérer aux objectifs de l'école ;
- favorise la collégialité, construit l'esprit d'équipe ;
- fait preuve de confiance et de sincérité ;
- apporte le soutien à ses enseignants dans la réalisation de différents projets ;
- fournit des occasions propices aux interactions entre les membres du personnel.

Quant aux enseignants, ils devront sortir de leur isolement, changer de nombreuses habitudes, ouvrir leur porte de classe. Une nouvelle définition du professeur sera celle d'un professionnel qui coopère à l'établissement du meilleur programme d'instruction possible. Le « je » des enseignants devra se changer en « nous » ; c'est la collégialité.

Le partage du pouvoir avec les écoles, sans unités intermédiaires pour bloquer le courant de l'information et des décisions, est la pierre angulaire de l'amélioration des écoles et des conditions d'apprentissage. Le partage du pouvoir ne signifie pas que les administrateurs de l'éducation renoncent à leur pouvoir ou que les enseignants défient l'autorité du directeur. Cela signifie que le pouvoir circule au sein de l'école. « Le pouvoir est l'habileté à réaliser des choses, à mobiliser des ressources, à les obtenir, à les utiliser et à contrôler les conditions qui rendent les actions possibles. » (Kanter, 1983 : 166) L'acquisition du pouvoir chez les enseignants s'apparente davantage à l'autonomie professionnelle qu'à de la domination du système.

Le directeur d'école qui accepte de partager son pouvoir avec ses enseignants réalise que le talent, les motivations, les capacités, l'effica-cité des enseignants aident à prendre des décisions éclairées conduisant à l'excellence. Le directeur qui accepte de s'asseoir avec les enseignants vit avec l'équipe-école l'ensemble du processus de décision concernant toutes les dimensions de l'école.

Augmenter le pouvoir des enseignants suppose un changement important dans la façon dont les membres de l'organisation scolaire se comportent. En effet, comme un grand nombre de décisions se prennent par l'équipe-école, les enseignants ont un rôle beaucoup plus actif. Les changements apparaissent, non seulement dans des responsabilités augmentées au niveau de l'école, mais aussi dans de nouvelles normes. Celles-ci ne sont pas toujours visibles, mais elles constituent le fondement de l'amélioration des écoles et elles guident les enseignants en tant que groupe dans leurs actions.

1. Les enseignants doivent assumer et partager avec le directeur d'école le leadership dans l'école. Les enseignants doivent exercer un leadership non seulement dans leur classe, mais aussi dans l'ensemble de l'école.

2. Les enseignants doivent être impliqués dans les prises de décision reliées au rôle qu'ils ont à jouer à l'école quant au personnel, aux programmes et au budget. En tant que professionnel, les enseignants participent aux décisions qui affectent leur vie et celle des élèves. En tant qu'experts de l'enseignement, ils ont à prendre des décisions sur l'allocation des fonds qui influencent l'amélioration des activités, des programmes.

3. Les enseignants participent à l'initiation des nouveaux enseignants au sein de l'école. Ils se transforment en mentor par un encadrement soutenu des nouveaux venus à l'école. Ils partagent leur expertise de professionnels de l'enseignement.

4. Un climat positif, la culture de l'école, l'atmosphère qui y règne favorisent la confiance entre les membres de l'école. Si l'enseignant agit en professionnel, les collègues et les administrateurs le traiteront en professionnel.

5. Les efforts et le temps investis dans les prises de décision sont reconnus et appréciés par le directeur et les autres collègues. La reconnaissance se remarque sous diverses formes : mémos d'encouragement, notes d'appréciation.

6. Un sens de la communauté se développe chez le personnel lorsqu'il travaille ensemble sur des projets communs.

7. Il existe une communication ouverte et honnête au sein de tout le personnel de la commission scolaire. Une communication de

qualité favorise le respect professionnel entre les membres. Le « je » personnel est remplacé par le « nous » collectif.

8. Des attentes élevées sont manifestées à tout le personnel. Les enseignants ont des attentes élevées non seulement à l'égard de leur propre rendement, mais aussi envers les élèves, leurs pairs et les administrateurs.

9. Les enseignants reçoivent le soutien nécessaire de la part des administrateurs qui les encouragent à faire de leur mieux. Le directeur d'école est considéré comme un facilitateur qui sert de lien entre les enseignants et l'administration centrale.

La collégialité dans l'école se définit par la présence de quatre comportements particuliers. Ainsi, les enseignants :

– s'expriment, quant à leur pratique. Leurs décisions sont fréquentes, concrètes, précises et portent sur l'enseignement et sur l'apprentissage ;

– observent mutuellement leur enseignement et leurs modes de fonctionnement pour alimenter leurs discussions et leurs réflexions ;

s'impliquent dans la recherche, le choix, la planification et l'évaluation des curriculums ;

– partagent leur expérience, leurs habiletés et leur savoir.

La collégialité, en plus de créer une atmosphère chaleureuse, est un élément qui incite les enseignants à travailler ensemble. La collégialité se reflète donc dans une école en mouvement, une communauté entière vouée à l'apprentissage et ce phénomène s'y retrouve à tous les échelons. La collégialité est une qualité professionnelle. Mais dans une école les enseignants peuvent se diviser en trois groupes :

– ceux qui refusent carrément de remettre en question leur pratique et s'opposent à ce que d'autres le fassent ;

– ceux qui acceptent de se remettre en question, mais qui refusent les interventions extérieures à l'égard de leur pratique ;

– ceux, moins nombreux, qui acceptent et désirent que leur pratique soit remise en question et améliorée.

L'ensemble des acteurs doivent reconnaître qu'il faut transformer l'organisation scolaire pour atteindre des résultats de qualité. Favoriser l'étapisme dans une telle démarche peut difficilement aider à modifier en profondeur les écoles. Le problème est plus global et nécessite une approche systémique qui touche tous les acteurs du système, et en particulier, les enseignants. Plusieurs réformes administratives ont été tentées depuis près de trente ans. Regardons maintenant la réforme professionnelle chez les enseignants. Le défi est de taille, mais les expériences dans les différents milieux indiquent une piste sérieuse de solution. Implication, climat, confiance, motivation, collaboration, autonomie, expertise, communication et culture améliorée favorisent le professionnalisme chez les enseignants qui ont le pouvoir de prendre des décisions.

Les enseignants ne pourront exercer leur pouvoir professionnel que si la vision de la commission scolaire et de l'école est claire et partagée par tous, si la commission scolaire appuie cette stratégie pour améliorer l'école, si le syndicat apporte son soutien, si les pouvoirs décentralisés sont clairement définis, si le directeur d'école est compétent, si la collégialité est possible au sein de l'équipe-école, si le professionnalisme des enseignants est intégré aux comportements de tous les jours.

La poursuite de l'amélioration ne se termine jamais ; c'est un mouvement, un voyage sans fin. Il n'y a qu'une seule stratégie pour obtenir des améliorations : être persistant. Les projets deviennent réalités seulement lorsqu'on travaille avec ténacité et courage à leur réalisation.

BIBLIOGRAPHIE

CLUNE, W.H., P.A. WHITE (1988). «School-Base Management», dans *School Leadership Handbook for Survival*, Eugene, ERIC Clearing House on Educational Management.

KANTER, R.M. (1983). *The Change Masters*, New York, Simon and Schuster.

MURPHY, J. (1991). *Restructuring Schools*, New York, Teachers College Press, Columbia University.

ANNEXE

QUESTIONS RELIÉES
À LA GESTION CENTRÉE SUR L'ÉCOLE

1. La gestion centrée sur l'école est-elle un changement inévitable ?

2. Le concept de la gestion centrée sur l'école est-il clair ? Ne risque-t-on pas de voir apparaître différentes applications dans la réalité ? Comment prévenir cela ?

3. Comment effectuer la gestion centrée sur l'école pour que notre système d'éducation soit plus performant ?

4. Comment la gestion centrée sur l'école favorisera-t-elle l'amélioration de l'enseignement et de l'apprentissage ?

5. Les enseignants n'ont-ils pas déjà le pouvoir de siéger au conseil d'établissement, de discuter de pédagogie avec leurs collègues ? Quelles modifications la gestion centrée sur l'école apportera-t-elle ?

6. Est-ce que la gestion centrée sur l'école pourrait donner lieu à une forme d'école privée libérée d'une foule de règlements issus de la commission scolaire ?

7. La gestion centrée sur l'école est-elle plus proche de la cogestion que de l'autogestion ?

8. Quelles répercussions la gestion centrée sur l'école aura-t-elle sur la qualité de l'enseignement et de l'apprentissage ? À quelles conditions ?

9. Créer une culture professionnelle qui stimule la collégialité chez les enseignants exige des gestes plus fondamentaux que de prendre certaines décisions au niveau de l'école. Alors comment réorganiser l'école pour développer une telle collaboration et avoir un impact sur la qualité de l'enseignement ?

10. Comment pourrait se réaliser la décentralisation du pouvoir vers les écoles ? D'une façon progressive, dans toutes les écoles ? D'une façon volontaire ? D'une façon généralisée ?

11. La gestion centrée sur l'école impliquera d'une façon importante certains enseignants d'une école. Faudra-t-il songer à une nouvelle base de traitement pour les enseignants ?

12. Si la gestion centrée sur l'école ne donne pas les résultats escomptés, sera-t-il possible de revenir à une forme d'organisation plus centralisée, ou s'agit-il d'un choix irréversible ?

13. Est-il réaliste de penser que les enseignants, en plus de leurs responsabilités pédagogiques, vont s'occuper de tâches de gestion dans l'école ?

14. Quelles seront les oppositions des cadres et des directeurs d'école au sujet de la gestion centrée sur l'école ?

15. La gestion centrée sur l'école devrait accorder un plus grand contrôle aux enseignants. Quelle serait alors la place des parents dans ce renouveau ?

16. Les enseignants, au niveau de l'école, sont-ils motivés par la gestion centrée sur l'école ?

17. Les écoles sont-elles prêtes à procéder à la gestion centrée sur l'école ? À quelles conditions ?

18. À qui l'école et les enseignants seront-ils redevables ? Pour quelles actions ? Quelles en seraient les conséquences ?

19. Quels seraient les domaines de responsabilités laissés au ministère de l'Éducation, aux commissaires d'école, à la direction générale, aux cadres ? Quel serait le rôle du directeur d'école dans la prise de décision concernant la gestion de l'école ?

20. À quel avenir seraient destinés les « examens du ministère » ?

21. Qui est responsable des décisions prises par l'équipe-école ?

22. Quelles sont les principales étapes à franchir pour effectuer une gestion centrée sur l'école ?